G000036601

Monsieur le Président

Scènes de la vie politique
(2005-2011)

Du même auteur
aux Éditions J'ai lu

LA TRAGÉDIE DU PRÉSIDENT
N° 8113

L'IMMORTEL
N° 8565

LE LESSIVEUR
N° 9222

Franz-Olivier GIESBERT

Monsieur le Président

Scènes de la vie politique (2005-2011)

DOCUMENT

« Entreprends gaiement et sans peur le voyage incertain de la vie, de l'amour et de la mort. Et, rassure-toi, si tu trébuches, tu ne tomberas jamais plus bas que la main de Dieu. »

Michel TOURNIER

« Les Français semblent des guenons qui vont grimpant contremont un arbre de branche en branche, et ne cessent d'aller jusqu'à ce qu'elles sont arrivées à la plus haute branche, et y montrent leur cul quand elles y sont. »

MONTAIGNE

Avant-propos

J'ai toujours été un journaliste connivent. La chose est assez mal vue par une partie de ma profession qui pense que, pour bien connaître la classe politique, il vaut mieux ne pas la fréquenter : cette école, qui a ses fidèles, préfère éditorialiser en chambre plutôt que de se laisser corrompre ou même distraire par la réalité. C'est moins dérangeant.

Comme certains de mes collègues, quand je vais à la chasse aux informations, je dîne avec des politiciens que, pour aggraver mon cas, je tutoie. J'ai donc beaucoup dîné avec Nicolas Sarkozy et, d'aussi loin qu'il m'en souvienne, je le tutoie. À trente ans, Sarkozy n'était qu'un condottiere en blazer que Jacques Chirac couvait, avec d'autres, du coin de l'œil. Il avait toujours le même sourire commercial et forcé, signe de ralliement de notre civilisation de la fausseté. Je n'aurais jamais parié sur lui alors que j'étais prêt à miser gros sur des figures de la génération précédente de la droite, comme Alain Juppé et Philippe Seguin. L'un avait la tête ; l'autre, le coffre. On a vu le résultat.

Nicolas Sarkozy, lui, n'avait pas grand-chose, hormis la volonté d'arriver. Une volonté sans bornes dont l'expérience nous apprend qu'elle peut très vite tourner à vide. C'était au demeurant ce qu'il moulinait, du vide, mais avec autorité, en travaillant bien ses dossiers. Il connaissait toujours le dernier chiffre. Il avait réponse à tout. Loin de moi l'idée de mépriser ou de railler cette ardeur à la tâche. Pour parvenir à ses fins, il aura sans doute été, même s'il n'est pas le moins doué, celui qui se sera donné le plus de peine.

Mais pour quoi faire ? C'est toute la question que pose la course folle qu'il a entamée, le nez sur le guidon, depuis son accession à l'Élysée. Il ne sait pas où il va, mais il y va sur les chapeaux de roue, en fendant l'air, avec une énergie dont on peut se demander si, le temps aidant, elle n'est pas devenue celle du désespoir. Il fait le spectacle, un spectacle qui donne le tournis. Il est comme les champions cyclistes qu'il vénère tant. C'est déjà bien si on le compare à certains rois fainéants qui l'ont précédé. Mais ce n'est pas assez pour convaincre.

Avec ce livre, je n'ai pas l'intention d'ajouter une pierre à toutes celles qui font déjà tas autour de lui, comme sur un terrain de lapidation. Cet homme, qui file devant le vent, a, de toute évidence, des talents et même des qualités. Dans les pages qui suivent, j'essaierai de raconter « N. le maudit » tel que je l'ai vu, avec ses grandeurs, ses petitesses et ses ridicules.

Il n'a pas ruiné le pays, il ne l'a pas mis non plus à feu et à sang. Il a géré avec une maestria certaine la crise économico-financière de 2008. Il a lancé plusieurs réformes importantes, comme le processus d'autonomisation des universités, le service minimum dans le secteur public, l'allongement de l'âge de la retraite à soixante-deux ans ou la mise en place du RSA (revenu de solidarité active). Il a donné des coups de pied dans les fourmilières administratives et mis fin à cette mauvaise pente que dégringolait la France depuis plus de trente ans, en augmentant toujours plus les dépenses publiques, ce qui l'amenait, pour les payer, à emprunter, donc à s'endetter. Il ne s'est pas agité pour rien.

Après plus de trois ans d'un règne souvent foutraque, il a même su se métamorphoser. Jusqu'à enfiler, depuis l'automne 2010, les habits de président de la Ve République, qu'il n'avait pas encore sortis de l'armoire.

Nicolas Sarkozy a tant de métier et de force de conviction qu'il peut très bien retourner la situation et être réélu en 2012. Rien ne l'abat jamais ; il renaît toujours. Sa vitalité ne peut que fasciner.

Pourquoi, alors, tant de haine contre cet homme ? On a rarement vu un pouvoir autant vomi, moins pour sa politique que pour la personne de son chef, qui hystérise tout. J'ai cherché à comprendre.

Étais-je le mieux placé pour cette tâche ? Je dois à la vérité de dire que nos rapports sont très particuliers : nous avons eu, comme on dit, quelques hauts et pas mal de bas. Un épisode parmi d'autres, que j'ai au demeurant pris à la farce : un soir de 1994, lors d'un dîner à Bercy dans son appartement de fonction du ministère du Budget, il m'a menacé comme lui seul peut le faire. Après que j'eus émis les plus grands doutes sur les chances d'Édouard Balladur, son candidat à la présidence, il s'est subitement levé de table et, avec la semelle de sa chaussure, a feint d'écraser quelque chose sur la moquette : une blatte, un cloporte ou Dieu sait quoi, qu'il réduisait en bouillie sous son pied. « Tu vois, mon petit Franz, avait-il dit, quand on aura gagné, c'est ce qu'on fera avec toi. » Il ne plaisantait pas. Si je ne lui en ai pas tenu rigueur, c'est que, contrairement à beaucoup de confrères, je considère qu'il est normal de recevoir des coups de la part des puissants, après qu'on leur en a porté. Surtout des coups comme ça, qui ne font pas mal. Au surplus, j'ai toujours aimé cette franchise qui tranche avec la sournoiserie de la vie parisienne. Nicolas Sarkozy vous prend toujours de face : à la loyale. C'est aussi un affectif et on pardonne toujours aux affectifs.

Je dois encore à la vérité de dire que, dès les premiers mois de sa présidence, il n'a cessé, si j'en crois les gazettes ou ce qui m'est revenu aux oreilles, de harceler le propriétaire du journal où je travaille et mes employeurs de la télévision publique pour qu'ils me virent de toute urgence, sous prétexte que j'étais – je le cite – un « rat d'égout » ou un « pervers fétide ». Il a même assuré à des amis communs qu'il allait me « détruire » ou – c'est une de ses expressions favorites – s'« occuper de moi ».

Les matins où la sonnette a retenti plus tôt que d'habitude à mon domicile, je ne me suis pas pour autant mis à trembler en pensant qu'un magistrat ami du pouvoir m'avait trouvé des poux et que ses sbires étaient derrière la porte, avec un mandat d'amener. Les colères du président ne font que passer ; elles n'ont jamais tué personne. Au risque de décevoir, je suis convaincu que le sarkozysme n'est pas un poutinisme et qu'il n'a même rien à voir.

De ses colères, je ne lui ai donc pas tenu rigueur, comme je n'en ai pas voulu à François Mitterrand d'avoir déclenché contre moi un contrôle fiscal ou de m'avoir mis sur écoutes téléphoniques parce qu'un de mes livres, écrit au vinaigre, n'avait pas eu l'heur de lui plaire : tel est

12

le prix à payer pour notre indépendance, j'allais dire nos médisances ; il n'est, j'en conviens, pas bien lourd.

La politique étant le théâtre de toutes les traîtrises, ces gens-là sont à cran et, tels les rois shakespeariens, s'en prennent au premier qui leur tombe sous la main. Un jour, c'est moi. Le lendemain, un autre. Après, un troisième. Alors que j'arrive à la fin de ma course, au temps de la hauteur et de la nostalgie, les vitupérations de Nicolas Sarkozy résonnent comme autant d'hommages à mon métier, celui de dire les faits ou leur fait au prince, surtout quand il est ivre de lui-même.

C'est ce que je vais tenter de faire ici sans passion, avec un souci d'équité et d'honnêteté.

1

La bonne vague

> « Il y a des politiciens qui, si leurs électeurs
> étaient cannibales, leur promettraient des
> missionnaires pour le dîner. »
>
> Henry Louis MENCKEN

C'est un jour d'été, moins d'un an avant son
élection à la présidence de la République. J'ai rendez-vous avec le futur candidat à l'Élysée dans
son bureau du ministère de l'Intérieur. Par la
porte-fenêtre, le jardin nous appelle. Il fleure bon
le gazon coupé et tout chante dans l'air mou, la
fontaine, les oiseaux, les mouches, les feuilles des
arbres.

Ne pouvant résister à l'attrait du jardin, Sarkozy finit par se lever et me fait signe de le suivre :
« On sera mieux dehors pour parler. » Parler avec
Sarkozy consiste, en vérité, à l'écouter parler.
C'est pourquoi il a si souvent fait le bonheur des
journalistes, contrairement à Mitterrand qui prenait plaisir à les interroger indéfiniment, pour les
flatter et les embobiner, sur la géopolitique et
l'avenir du monde, de sorte qu'ils ressortaient de
leurs entretiens avec lui bredouilles sauf les plus
vaniteux, qui, bien sûr, étaient conquis.

Après avoir chaussé ses Ray-Ban, demandé un
Coca light, allumé un gros cigare et posé ses pieds
sur une chaise, il m'explique pourquoi il sera élu
à coup sûr :

15

« Depuis que je suis sorti du peloton, j'entends les malins me dire : "Attention, tu t'es échappé devant, tu vas prendre plein de vent dans la gueule." Je leur réponds : "Les gars, j'ai déjà été derrière. Figurez-vous qu'il y a aussi du vent derrière." Maintenant, dis-toi bien, ça va s'accélérer, je vais creuser l'écart.

— Pourquoi ?

— Parce qu'il y a aujourd'hui quatre thèmes porteurs pour être élu président : la sécurité, l'immigration, le pouvoir d'achat et l'éducation. J'en tiens déjà deux, les deux premiers. Je piquerai le troisième, le pouvoir d'achat. La gauche dit : "Travaillez moins pour gagner moins." Moi, je vais dire : "Travaillez plus pour gagner plus." Et l'affaire sera faite.

— Pourquoi ça marcherait ?

— Parce que c'est un discours qui porte, je l'ai déjà testé en province. C'est ce que les gens veulent entendre. Je parlais de vélo tout à l'heure, mais je crois que pour la politique, c'est la métaphore du surf qui convient le mieux. Je suis comme un surfeur qui cherche la bonne vague. Quand je suis dessus, plus rien ne m'arrête. Eh bien, avec le pouvoir d'achat, il y a une chose dont je suis sûr : je l'ai trouvée, la vague. »

La vague… Je suis alors sidéré par sa candeur, son machiavélisme, son ton aussi, celui du directeur de la centrale d'achat d'une chaîne d'hypers. La politique est un marché, il a bâclé son offre. Je sais bien que les politiciens valent souvent mieux que ce qu'ils disent, mais bon, tout Sarkozy est là, dans ce mélange de cynisme et de trivialité. Paraphrasant Churchill, Nixon aimait dire que le peuple suit l'homme d'État alors que le politicien, lui, suit le peuple. À l'aune de cette définition, Sarkozy est un politicien qui prépare la prochaine élection et non pas les générations à venir. Il voit court. Inutile de chercher à le classer, il ne cesse de s'adapter à l'air du temps. Il n'est ni jacobin ni bonapartiste ni atlantiste ni gaulliste ni ultra-libéral. Pour les besoins de sa cause, il est simplement prêt à revêtir alternativement tous les oripeaux. Ceux qui cherchent à le réduire à un système seront un jour ou l'autre démentis, voire ridiculisés.

Longtemps, il ne s'est passionné que pour l'étape suivante, comme il l'a confié un jour au philosophe Michel Onfray[1] : « Quand j'étais jeune militant, au fond de la salle, je voulais être devant. Quand j'étais devant, je voulais être sur la scène. Quand j'étais sur la scène, je voulais être à la tribune. Quand je me suis trouvé à la tribune, j'ai eu envie de plus, de mieux, de la marche d'après. Je suis fait comme ça... »

Et maintenant qu'il est en haut des marches, l'œil rivé sur l'horizon de la prochaine élection présidentielle, il ne songe qu'à sa popularité et il est prêt à tout pour la gagner. Au meilleur comme au pire. Quitte, s'il le faut, alors qu'il est au plus bas dans les sondages, à lancer, pendant l'été 2010, une croisade nationale contre les Roms. Une communauté impopulaire qu'il stigmatisera au point d'organiser à son sujet une réunion sous son autorité, au palais de l'Élysée.

C'est le politicien le plus talentueux, et de loin, de sa génération, capable de modeler à sa guise le débat et le paysage national. Mais si on gratte, on peine à trouver dessous l'homme d'État au service de convictions fortes, fussent-elles impopulaires. Il adoptera toujours celles qui servent ses

---

1. *Philosophie Magazine*, avril 2007.

intérêts du jour avant de les jeter et de passer à d'autres, dans un tourbillon infernal qui, souvent, étourdit ses adversaires.

Toujours en campagne, le président surfeur cherche l'occasion qui lui permettra de rebondir, de recruter, de rassembler à nouveau. Un coup, il attend tout du rôle qu'il surjoue sur la scène médiatique internationale, mais non, il lui faudra vite déchanter, les Français s'en fichent. Alors, va pour la sécurité, l'identité nationale ou autre chose, comme s'il fallait sans cesse donner des os à ronger au peuple pour l'occuper ou le séduire.

Le président surfeur n'a qu'une ambition : plaire. Il n'est jamais que dans la conquête, même quand il vient d'être élu avec 53 % des suffrages. La tragédie de Sarkozy, c'est celle des rois qui voulaient être aimés. C'est pourquoi il supporte si mal la critique, à peine l'approbation. C'est pourquoi il surréagit à tout ce qui se rapporte de près ou de loin à sa personne.

2

Sous mon olivier

« On n'a guère à craindre d'un homme qui
menace beaucoup en paroles, le silence est
plus dangereux. Quand la colère enflamme
trop l'esprit, elle enflamme moins le cœur ;
tout est porté au-dehors, tout s'exhale par
la bouche et tout s'échappe des mains. »

Alexander POPE

J'ai noté la date : le 27 janvier 2008. C'est un
dimanche qu'éclaire une lumière pâle et fris-
quette. Il me semble que la montagne, trônant
sous les fils d'or, a pris tout le soleil pour elle. Il
faut se contenter des restes. Je suis chez moi, en
Provence, et je taille mes oliviers. Souvent, après
leur avoir coupé une grosse branche, je les caresse
et ils me rendent quelque chose que je ne saurais
définir, une vibration, un plein bon Dieu d'amour.
Je ne voudrais pas faire mon Giono, mais ces
arbres et moi faisons partie de la même famille.
On se comprend sans avoir même à se parler.

Il est treize heures passées quand mon portable
sonne. C'est l'Élysée. Une belle voix féminine
m'annonce qu'elle va me passer le président de la
République. Après les civilités d'usage, Nicolas
Sarkozy prend soudain sa voix des mauvais
jours :

« Je veux te parler d'un article de Patrick Besson que tu as publié dans ton journal. Un truc

19

pas digne de vous, un truc immonde, répugnant, dégueulasse, y a pas de mot pour ça. »

Moi, hypocrite : « De quel article parles-tu ? »

Lui, glaçant : « Tu sais très bien lequel. »

Moi, toujours hypocrite : « Non. »

Lui : « Celui sur Carla, l'autre jour. Il faut que tu saches que je méprise ce type et que le jour où je ne serai plus en fonction, une des premières choses que je ferai, ce sera d'aller lui casser la gueule. »

Moi : « Allons, dans quelques semaines, tu l'auras déjà oublié. »

Lui, haussant le ton : « Non, je n'oublierai pas. Jamais ! Jamais ! Tu m'entends ? Jusqu'à la fin de mes jours ! »

Il est dans un tel état qu'il me paraît judicieux de ménager une pause. Après un petit silence, il reprend sur le même ton, menaçant :

« Jamais je n'oublierai non plus que cet article a été publié sous ta responsabilité.

— Je l'assume tout à fait. En plus, Besson est mon ami.

— Toi, tu as toujours eu de ces amis ! »

Patrick Besson fait partie de la catégorie que j'appelle celle de mes « vieux amis ». Un magnifique écrivain, un grand cœur et un mauvais esprit, qui tuerait pour un bon mot. Mon expérience professionnelle m'a appris que les chroniqueurs qui ont la plume la plus cruelle sont souvent des êtres très doux, sans aucune méchanceté : rien ne leur étant plus étranger que la vanité, ils n'ont pas conscience du mal qu'ils font. C'est le cas de Besson. Il suffit, pour s'en convaincre, de croiser son regard un peu brumeux, toujours plein de bienveillance. En plus, il a toujours eu un gros faible pour Carla Bruni sur qui il n'a écrit, jusqu'à présent, que des choses gentilles.

Dix jours plus tôt, il a signé dans *Le Point*[1] une chronique sur Carla Bruni, la nouvelle conquête de Sarkozy. Elle n'est pas la première dans son cœur, ni lui dans le sien qu'ont habité tour à tour Mick Jagger, Éric Clapton, Louis Bertignac, Arno Klarsfeld, Raphaël Enthoven, un grand cacique du PS, etc. Des liaisons officielles, et je ne parle pas des autres. Dans une de ses chansons, peu après mon avoinée, elle évoquera ses trente amants. C'est une femme libérée qui n'a jamais joué les saintes-nitouches. Elle s'affiche et s'assume avec une certaine crânerie. Elle m'a toujours bluffé.

Ironisant sur ses charmes et ses talents de tombeuse, Patrick Besson donne, dans sa chronique, toutes sortes de conseils drolatiques à l'heureux élu. Il recommande ainsi à Sarkozy de ne pas présenter la nouvelle femme de sa vie à ses fils. Ni à Barack Obama. Ni à aucun beau mec.

« Ôte-moi d'un doute, reprend le chef de l'État. Est-ce que tu as relu cet article avant sa publication ? »

Moi : « Bien sûr. C'était, comme on dit, un article "sensible". »

Lui : « Et ça ne t'a rien fait ? »

Moi : « Si. Ça m'a fait rire ou plutôt sourire. »

Lui : « Ça ne t'a pas choqué ? »

Moi : « Non, parce que c'est de l'humour. »

Lui : « Tu appelles ça de l'humour ? Je vais t'en foutre de l'humour ! »

Moi : « Je peux même te dire que j'ai lu cet article avec soin et que j'ai demandé à Patrick d'enlever deux ou trois trucs, ce qu'il a fait sans problème. Comme ça, y avait rien à redire. »

---

1. « 24 conseils au président de la République en vue de ses noces avec Mademoiselle Bruni », *Le Point*, 17 janvier 2008.

Lui : « Rien à redire ! Rien à redire ! Tu sais ce que tu vas faire, mon petit Franz ? Une lettre d'excuses à Carla et on sera quitte. »

Moi : « N'y pense pas. »

Lui : « Je veux une lettre d'excuses, c'est quand même la moindre des choses. »

Moi : « Je ne te la ferai pas. »

J'ai souvent dit qu'on ne se méfie pas assez des journalistes en général, et de moi-même en particulier. Encore une preuve de ma fourberie professionnelle : cette conversation m'a tout de suite semblé si bizarre que, pour l'immortaliser, j'ai sorti un stylo-feutre et une vieille enveloppe de mon blouson. Après quoi, je me suis assis et j'ai tout noté, pour l'Histoire, au pied de mon olivier. Il a quatre cents ans. Je suis sûr qu'il n'a encore jamais, de toute sa vie, entendu des choses pareilles.

« Il n'y a pas faute, dis-je. Je ne comprends pas pourquoi il y aurait excuse. »

Lui : « Comment peux-tu dire ça ? Cet article est une saloperie qui relève du cassage de gueule. »

Moi : « Tu me menaces aussi d'une correction ? »

Lui : « Tu la mériterais, je ne sais pas ce qui me retient. Tout ça, tu sais ce que c'est, hein, tu le sais ? C'est du fascisme, oui, du fascisme ! Vous êtes vraiment deux gros lâches, Besson et toi, pour vous attaquer ainsi à une femme. Attaquez-vous à moi ! Mais vous avez la trouille… »

Moi : « Écoute, on n'a pas la trouille de toi, on l'a souvent prouvé et on le prouvera encore. Mais là, c'est autre chose. Une chronique d'écrivain. Il n'y a aucune raison pour que Carla et toi vous sentiez insultés. »

Lui : « Et qu'est-ce que tu dirais si j'écrivais ou faisais écrire que ta femme est une pute ? »

Moi : « Jamais notre journal n'a écrit ni même suggéré que Carla est une pute. »

Lui : « Si, si… Je suis sûr que tu péterais les plombs si je disais que ta femme est une pute, hein, une pute qui a servi à tout le monde et qui, en plus, veut coucher avec tes enfants. »

Moi : « Écoute, on n'est pas des perdreaux de l'année, moi moins encore que toi. Ce n'est pas parce que Carla a eu une vie ou des vies avant toi qu'on peut l'accuser d'être une pute. Même chose pour ma femme. On a trop d'heures de vol, mon vieux. Enfin, voyons… »

Les derniers mots sont de trop. Ils expriment une sorte de condescendance paternelle qui le met aussitôt en transe. Je l'imagine en train de trépigner ou même de se rouler par terre comme un enfant en colère.

« Dire que tu ne veux même pas présenter d'excuses après avoir laissé traiter ma femme de pute, hurle-t-il. Où es-tu tombé ? Tu ne t'en sortiras pas comme ça ! »

J'ai connu toutes sortes de colères de politiciens. Il y a les drôles, les poétiques, les généreuses : celles de Michel Charasse ou de Georges Frêche m'ont souvent donné des fous rires, y compris quand elles s'abattaient sur moi. Celle du président est triste, malgré les cris et les menaces.

« Tu vas voir ce que je vais faire, tu vas voir… »

Je songe à la sortie de Churchill contre un parlementaire écumant : « Mon honorable collègue devrait essayer de ne pas produire plus de vapeur qu'il n'en contient. » Son bouillonnant monologue tourne en boucle, il répète toujours les mêmes phrases, en s'époumonant. Il faut qu'il décompresse. Je cesse donc de le relancer.

Il continue de crier encore un moment dans son téléphone jusqu'à ce que le ton baisse. Un filet de voix plaintif qui signale, chez les coléreux, que la crise touche à sa fin. Je consulte ma montre : il y a quarante minutes qu'il me gueule dessus.

Jusqu'à ce qu'il se décide enfin à ne plus m'appeler, j'ai essuyé d'autres colères téléphoniques de Sarkozy que je n'ai pas, comme celle-là, notées mot à mot. C'était à propos d'un article ou d'une couverture du *Point*. Même vocabulaire sorti d'une cour de récréation de CM1 ou de CM2.

Ce jour-là, même si elle paraît comique, l'ire présidentielle a quelque chose d'émouvant. Je sais d'où vient ma compassion : sous cet emportement, il y a une blessure et du malheur. Pas encore remis de son divorce avec Cécilia, Sarkozy entend défendre bec et ongles son nouveau bonheur devant un journaliste qui fait preuve, jusqu'à la caricature, de tous les travers de son engeance. Notamment la bonne conscience et une arrogance narquoise que trahit le petit sourire en coin qui me quitte rarement. C'est, je crois, le signe de reconnaissance de notre profession qui, par définition, ne respecte rien, fors l'idée qu'elle a de la vérité.

Je lui ai donc pardonné cette colère, mais il y a plusieurs choses que je ne comprends pas. Comment peut-on être président et dépenser quarante minutes d'un temps si compté à propos d'un article de magazine que l'on semble avoir appris par cœur ? Pourquoi accorder tant d'importance à ce que l'on dit de soi ? Que cherche-t-il en s'emportant ainsi ? Les réponses se trouvent dans un nœud que je me sens bien incapable de démêler, un mélange de narcissisme, d'affectivité et de culte de sa propre image. Sans oublier une sensibilité supérieure à la moyenne et une certaine puérilité, propre aux politiciens.

Je me souviens d'Édouard Balladur qui, en 1994, m'avait entrepris pendant une dizaine de minutes sur une brève de quelques lignes parue dans *Le Figaro* du jour, qui évoquait sur un ton neutre un sondage à peine moins favorable que d'ordinaire. Tout Premier ministre qu'il fût, il me dérangeait en plein bouclage du quotidien, à l'heure où l'on peut encore éviter toutes les erreurs, et je finis par lui faire remarquer, avec courtoisie, que j'avais du travail.

« Et moi ? s'étrangla-t-il.

— Apparemment moins. »

Ce 27 janvier 2008, Nicolas Sarkozy avait, lui, une excuse : Carla. Après l'affaire d'un vrai-faux SMS qu'il aurait envoyé à Cécilia, avant leur divorce, pour tenter de la reprendre, il entendait prouver sa flamme à la nouvelle femme de sa vie. À mes dépens. C'est devant elle qu'il s'était déchaîné contre moi et je l'avais subodoré avant qu'il ne me la passe.

« Excusez-le, me dit Carla d'une voix très douce. Mais Nicolas est tellement amoureux, vous comprenez. Il ne supporte pas que l'on écrive ce genre de choses sur moi. Je ne suis ni une garce ni une salope, il faut que vous le sachiez. »

Quand la conversation fut terminée et que je pus retourner à la taille de mon olivier, sous le soleil d'hiver, je songeai à Mitterrand qui s'imposait régulièrement la lecture de l'Ecclésiaste. Il y a dedans une phrase qu'il faudrait méditer tous les matins avant d'enfiler les habits qui nous distingueront, pour la journée, du monde animal : « Tout est vanité et pâture de vent. »

La vanité est le plus secret et le plus pernicieux de nos directeurs de conscience. L'écouter est une erreur et une perte de temps. C'est ainsi que notre président en perd beaucoup, fasciné qu'il est par l'apparence, le superfétatoire et l'écume des jours.

3

La colère du matin

« La colère, comme la bêtise, grandit quand on l'arrose. »

Jehan Dieu de la Viguerie

Quand il était ministre de l'Intérieur, le salon d'attente jouxtait son bureau. Un jour que j'attendais mon rendez-vous, j'entendis des cris derrière la double porte. Je ne saurais les qualifier, tant ils étaient nombreux et confus, mais tous les animaux de la création ou presque semblaient avoir été convoqués là, de l'autre côté : ça glapissait, hurlait, meuglait, feulait, rugissait, craillait, hennissait et j'en passe. Une ménagerie.

Au bout d'une vingtaine de minutes, quand cette tempête fut retombée, Nicolas Sarkozy apparut dans l'embrasure, frais et apaisé. Dès que j'entrai dans son bureau, une ombre fantomatique et silencieuse en sortit. Elle portait un costume passe-muraille de fonctionnaire, aux couleurs tristes. C'est à peine si elle me fit un salut de la main. Il y avait quelque chose de honteux dans cette façon de s'esquiver. Elle avait eu son compte.

C'était Claude Guéant, qui dirigeait alors le cabinet de Sarkozy à l'Intérieur et qui serait présenté, un jour, par la presse, comme l'homme clé du régime, la terreur des ministres. Il faisait de la peine avec son sourire cassé et son regard baissé qui exprimait toute la résignation du monde, celle du chien couché qui subit à heure fixe les colères du maître. J'appris, par la suite, que c'était le préposé aux fureurs sarkozyennes. Sous tous les régimes, il y a un bouffon, un sage et un grand chambellan. Sous Sarkozy, il y a, en plus, un chef de bureau des pots cassés. C'est lui.

Aux colères du ministre puis du président, il répond par le silence mais, contrairement à ce que dit le dicton, se taire ne donne pas toujours l'avantage face au furibond : le gros dos a ses limites. Je sens que cet homme couve des ulcères et que, derrière l'eau calme de ses yeux, il y a une haine qui bout, celle du petit personnel contre leurs patrons quand ils sont des autocrates de droit divin. S'il la laisse échapper un jour, elle sera terrible.

Pour un personnage de ce genre, il y a plusieurs façons d'arriver. Le travail. La rigueur. La patience. Travailleur et rigoureux, Claude Guéant est, de surcroît, très patient, d'une patience angélique et, bien sûr, intéressée, très intéressée, qui le mènera jusqu'au secrétariat général de la présidence, puis au ministère de l'Intérieur. Qu'importent les hurlements, les éclats de voix et les noms d'oiseaux qui lui cassent les oreilles, pourvu qu'il puisse avancer ses pions. Quand il met en balance les hurlements de Nicolas Sarkozy et la confiance absolue qui lui est dévolue, avec toute la puissance qu'elle lui confère, celle du fondé de pouvoir, il n'y a pas à hésiter une seconde. Le métier de souffre-douleur n'a pas que des inconvénients. Il peut même avoir des compensations. La colère présidentielle du jour – pour peu qu'il y en ait une seule – est juste une habitude à prendre, un mauvais moment à passer.

28

De même que le lever du roi fut un rite qui permet de comprendre le règne de Louis XIV, la grosse colère du matin est l'un des moments structurants de la liturgie sarkozyenne, qui éclaire bien ce régime. Cette colère tombe en général, comme la foudre, sur l'un des conseillers de l'Élysée. Quand ce n'est pas sur un ministre ou un haut fonctionnaire. Claude Guéant n'est pas le seul à qui est échue la rude tâche de boire jusqu'à la lie les éructations présidentielles, mais il reste la cible principale.

La colère commence toujours *mezzo voce*, puis *piano piano*, sur le mode sifflant, avec une question du genre :

« Qui a eu la riche idée de me faire rencontrer le Premier ministre turc ? Qui ? Qui ? Dites-moi qui ? Au moment où je m'oppose à l'entrée de la Turquie dans l'Union européenne, il ne manquait plus que ça. Franchement, il fallait la trouver, cette idée ! »

Silence autour de la table. Les conseillers piquent du nez. La colère a ses règles et il ne faut pas, surtout dans les premières minutes, quand elle prend son envol, en interrompre le cours. Elle risquerait de partir en vrille. On la laisse venir.

Le ton monte *crescendo* :

« Vous vous rendez compte ? Il faut que j'assume toutes vos conneries. Vous ne pourriez pas réfléchir un peu, si c'est pas trop vous demander ? J'en ai marre, vous savez, vraiment marre ! »

La colère présidentielle devient maintenant sismique, Sarkozy a une voix de fin du monde. Les mêmes mots se bousculent dans sa bouche, ils tournent en boucle, il ressasse. À la première accalmie, le coupable se dénonce, tête basse. C'était une initiative de Jean-David Levitte, le conseiller diplomatique de Sarkozy, et elle a été validée par Guéant.

Levitte, c'est la tête de Turc par excellence. Surnommé « Diplomator », c'est pourtant le meilleur, et de loin, dans le genre. De sangs très mêlés (russe blanc par son père, anglo-hollandais d'Afrique du Sud par sa mère), il semble toujours sortir de chez le coiffeur et de chez son tailleur. Sinon cette mise impeccable, on ne voit pas bien ce qui peut provoquer contre lui l'animosité récurrente du président. À moins que ce soit sa science, qui en a fait la coqueluche de Giscard qui lui mit le pied à l'étrier, puis de Mitterrand, puis de Chirac : grand spécialiste de la Chine et de l'Orient, cet ancien ambassadeur à Washington est la mémoire du Quai d'Orsay.

« Vous, lui jette régulièrement Sarkozy comme une insulte, vous avez servi tous les régimes ! »

Le coupable désigné, la colère repart, mais *cantabile* :

« Je n'en peux plus, de vous tous et de vos conneries. Vous n'imaginez pas comme j'en ai marre. »

S'il a piqué sa grosse colère pendant une réunion avec ses conseillers, elle s'achèvera brusquement :

« Bon, allez, j'en ai assez, dira-t-il en se levant. Je vous laisse entre vous. »

Si c'est un ministre ou un haut fonctionnaire qu'il a réprimandé ou agoni d'injures au téléphone, il mettra fin à la conversation très vite, comme s'il ne voulait pas laisser la parole à la défense.

Si l'on en croit les estimations de ses plus proches collaborateurs, une grosse colère sarkozyenne dure en moyenne une vingtaine de minutes. C'est long, pour l'agenda déjà surchargé du président.

La colère, c'est la maladie infantile des faibles et des angoissés, si glorieux soient-ils. Elle est, de surcroît, mauvaise conseillère, comme nous l'a dit Marc Aurèle dans l'une des meilleures formules de ses *Pensées* : « Les conséquences de la colère sont beaucoup plus graves que ses causes. »

Nicolas Sarkozy le sait. Tout porte à croire qu'il a honte, souvent, de ses fulminations après les avoir poussées. Pourquoi continue-t-il, alors, à leur laisser libre cours ? Parce qu'il ne peut pas faire autrement. Mon idée est qu'il n'a pas de surmoi.

Le surmoi, c'est, selon les psychanalystes, ce qui assure le refoulement. Le Petit Robert le définit comme « élément de la structure psychique agissant inconsciemment sur le moi comme moyen de défense contre les pulsions susceptibles de provoquer une culpabilisation, et qui se développe dès l'enfance par une intériorisation des exigences et des interdits parentaux ». L'écrivain Michel Tournier le décrit joliment comme « une sorte de ciel », « au-dessus du moi conscient ». Un firmament « habité par des idéaux, les principes moraux, la religion ».

Tout se joue pendant l'enfance : le surmoi est le produit de l'éducation et s'acquiert quand la mère décide de lutter contre les manifestations de toute-puissance de son rejeton qui, par exemple, pour vérifier son pouvoir, jettera indéfiniment sa cuillère par terre afin que sa mère la ramasse. Le pédiatre Aldo Naouri a tout dit là-dessus : le surmoi qui l'aidera tout au long de sa vie, ne s'installera qu'une fois maîtrisé le célèbre ça, c'est-à-dire la pression de toutes les pulsions.

Dans *Éduquer ses enfants*[1], Aldo Naouri écrit : « Amener un enfant à renoncer à l'exercice de sa toute-puissance, ce n'est pas seulement être assuré d'avoir réussi à mener à bien la partie la plus essentielle de son éducation, c'est pouvoir envisager sur un mode relativement serein sa grande enfance, son adolescence, son accès à l'âge adulte et même le sort de sa descendance. » Sinon, prévient Naouri, il va « traîner toute sa vie une angoisse considérable dont il sera impossible à quiconque de lui faire reconnaître le contenu ou l'origine et encore moins de le débarrasser. Il ne parviendra jamais à gagner l'étape adulte de son existence ».

Quand on est enfant roi, c'est pour la vie. Même à cinquante ou soixante ans, un enfant roi reste un enfant roi.

---

1. Odile Jacob, 2008.

4

Monsieur
« Il-faut-tout-faire-soi-même »

> « S'il fallait tolérer aux autres tout ce qu'on
> se permet à soi-même, la vie ne serait plus
> tenable. »
>
> Georges COURTELINE

« Je n'en peux plus de cette connasse de Boutin. Je vais la virer très vite. »

C'est ainsi que Nicolas Sarkozy me parlait de sa ministre du Logement, six mois avant de la limoger. Il le disait à un journaliste qu'il considère comme « pas fiable » et qui pouvait donc le crier aussitôt sur les toits.

D'un point de vue moral, il est exécrable de traiter de la sorte une subalterne. D'un point de vue de management, on ne peut pas non plus faire pire. C'est pourtant ainsi que procède sans cesse Sarkozy, prince de l'assassinat verbal, aux yeux de qui aucun des siens ne fait jamais l'affaire.

La ressource humaine n'est pas son fort. Il n'y a sans doute pas de plus difficile métier au monde, dans cette catégorie, que ministre ou conseiller de Nicolas Sarkozy. Aucun respect, peu de gratifications, mais des flopées de remontrances et de quolibets. Le chef de l'État n'est pas du genre à ménager ses montures. Il est vrai qu'il peine et tarde souvent à en changer.

Joséphine reprochait à Napoléon d'humilier trop et de ne pas punir assez. On pourrait en dire autant de Sarkozy. Il n'a pas la main tranchante. La parole, en revanche, l'est.

Malheur à ceux qui ne peuvent suivre le rythme du mouvement perpétuel qu'il impose à sa galaxie. Ils en seront expulsés d'une manière ou d'une autre. Mais ceux qui restent, les maréchaux ou les petits soldats, ne bénéficient pourtant d'aucune protection particulière. C'est ce qui frappe le plus dans le système Sarkozy : le stress, entretenu par le président, qui pèse sur les principaux personnages du régime. Alors qu'ils devraient être assurés du soutien sans faille de l'homme qu'ils servent à la vie, à la mort, il les court-circuite, les déstabilise, les met sur le gril et les stigmatise pour un oui ou pour un non, notamment lorsqu'ils lui font l'offense de montrer le bout du petit doigt. En somme, lorsqu'ils veulent exister.

À un tel niveau, alors qu'à ce poste il devrait surplomber tout le monde ou presque, je n'ai jamais entendu, de ma vie de journaliste, un président déblatérer autant sur les siens. À en croire Nicolas Sarkozy, il ne serait entouré que de « nuls », de « connards » et de « valises sans poignée », une de ses expressions préférées.

Je ne citerai pas, pour rester poli, les épithètes auxquelles a eu droit Michèle Alliot-Marie, un poids lourd de l'UMP dont il a mis du temps à se débarrasser.

À peine avait-il installé François Fillon à Matignon qu'il émettait devant moi des réserves sur son Premier ministre : « Un type bien, compétent, travailleur, mais je me demande s'il a un moteur ou même quelque chose sous le capot. »

François Fillon avait simplement compris, avant les autres, le système Sarkozy : pour durer, sous ce président, la plus grande discrétion s'impose. Il ne faut surtout pas détourner les regards du peuple qui doivent rester fixés sur le chef de l'État omniprésent et omniscient. Pas d'interférence ni de brouillage, il n'y a qu'une seule tête qui doit dépasser.

C'est pourquoi Sarkozy se sent si seul. « Je ne suis entouré, dit-il souvent, que de charlots et de zombies. Je n'ai pas le choix, il faut que je fasse tout moi-même. »

« Tout faire soi-même. » La litanie des mauvais managers qui ne savent ni déléguer, ni responsabiliser. Avec cet état d'esprit, Nicolas Sarkozy ne serait pas capable de diriger une PME de six salariés. Mais voilà, grâce à son charisme et au suffrage universel, il lui faut gouverner un pays de plus de soixante millions d'habitants.

Une figure historique du sarkozysme m'a dit un jour, dans un moment d'abandon, que, pour son héros, il y a deux catégories de gens : les ennemis et les esclaves, mais qu'il traite les deux de la même façon. Sans égard aucun. À l'exception toutefois des trophées ou des prises de guerre de la gauche qu'il cajolera, le temps qu'ils le distraient, avant de les liquider ensuite quand ils ne vaudront plus rien.

Ce serait un grand tort de croire qu'il est indifférent à tout. Avant de porter le couteau, il le remet souvent dans son étui. Il hésite, il lanterne. « Un faux dur », dira un jour Cécilia. C'est un affectif qui a choisi le mauvais métier. Un affectif tyrannique qui ne pardonne rien aux siens.

Rares sont les politiques qui gardent une telle liberté de ton, y compris contre leur garde rapprochée. Un jour, c'est Brice Hortefeux, son vieil

alter ego, qui sera qualifié de « mou ». Le lendemain, c'est Patrick Devedjian, le compagnon des
mauvais jours, qui sera traité de « pauvre con ».
Comme si personne, fors lui-même, ne trouvait
jamais grâce aux yeux de Sarkozy.

5

Recherche désespérément surmoi

« C'est dangereux d'être sincère, à moins d'être aussi stupide. »

George Bernard SHAW

Où son surmoi est-il passé ? En a-t-il jamais eu ? Pourra-t-il continuer à vivre et à gouverner sans ? Ce sont les questions qui se bousculent dans nos têtes devant cet incroyable phénomène d'un président brut de décoffrage qui parle tout le temps cru.

L'humoriste Pierre Daninos écrivait naguère : « En France, plus on est cru, plus on est cru. » Soit. Mais notre inconscient collectif réclame un président statufié, qui incarne le pays et parle pour les siècles des siècles, un langage digne de figurer sur le marbre des stèles.

Or le chef de l'État descend souvent de son Aventin pour s'exprimer comme les racailles des banlieues qu'il prétend combattre et dont, pour le plaisir de la transgression, il partage les codes. Ce qui donne, au Salon de l'agriculture, à l'adresse d'un Français qui ne veut pas lui serrer la main : « Casse-toi, pauvre con. »

Tollé général, et pas seulement dans la bonne société. Sarkozy n'a pas pu s'empêcher. C'était un réflexe automatique. Si ce n'est pas un petit caïd, c'est en tout cas un petit coq, encore qu'il n'y ait pas loin de l'un à l'autre. Quelque temps avant son élection, je me souviens d'avoir attrapé un début de fou rire que je peinais à réprimer, après l'avoir entendu me raconter fièrement : « L'autre jour, dans une cité, des jeunes se sont approchés de moi, l'air menaçant. Je leur ai dit : "Essayez de me chercher, les gars, vous allez voir, je me ferai un plaisir de vous casser la gueule." » Et d'ajouter : « Il y avait plein de caméras de télé. Pour qu'on ne puisse pas lire sur mes lèvres ce que je leur disais, j'ai baissé la tête. Eh bien, ils ont filé, les gars, sans demander leur compte. »

Tel est Sarkozy : vantard et ramenard. Qu'il n'ait pas réussi à le dissimuler ne manque pas d'étonner. Mais un psychanalyste lacanien, Jacques-Alain Miller, nous donne la clé quand, démontant les ressorts de sa personnalité, il déclare[1] :

« Savoir changer de personnalité publique au gré des circonstances fait partie de l'art du politique. Le mot "personnalité" vient d'ailleurs du latin "persona", qui veut dire "masque". Le problème de Sarkozy, c'est qu'il est nature. C'est-à-dire qu'il ne manie pas sa personnalité comme un masque : il se confond avec elle. Il est envahissant pour les autres parce qu'il est envahi par lui-même, par ses pulsions. Il est tout le temps sur le qui-vive. En termes techniques : chez lui, le moi est mal différencié du ça. »

À la question de savoir si Nicolas Sarkozy pourra passer, un jour, à un fonctionnement apaisé, Jacques-Alain Miller répond :

---

1. Interview recueillie par Olivia Recasens, *Le Point*, 20 mars 2008.

« Cela demande l'intervention d'un tiers. Quand le ça empiète sur le moi, il y a déficit de surmoi. Dès lors, il faut que le surmoi soit incarné par quelqu'un d'extérieur. Par hypothèse, Cécilia était le surmoi auxiliaire dont il avait besoin. Elle savait lui dire non, elle mettait des limites. Vous remarquerez que c'est lorsqu'elle est partie que tout s'est déréglé. »

Selon Jacques-Alain Miller, Carla, sa troisième épouse, qui « est depuis longtemps en analyse » et « sait jouer des masques », est tout à fait apte à prendre la relève mais « le président aura sans doute beaucoup de mal à se tempérer sans faire au moins quelques séances de psychanalyse ».

Pour avoir publié dans *Le Point* un dossier intitulé « Sarko et les psys », je fus l'objet d'un nouveau courroux présidentiel qui se manifesta publiquement, lors d'une réception à l'Élysée, le 5 juin 2008, en l'honneur de mon vieux complice, maître et ami Claude Imbert. Le président me hurla dessus : « Bravo pour ton numéro. Demain, tu pourras faire : "Sarko et les psychiatres". Après ce sera : "Sarko et les sexologues". Alors, c'est ça que tu crois, hein, que je suis fou ? Dis-moi, franchement, je suis fou ? »

Loin de moi l'idée de porter un jugement de ce genre. D'autant que, sur ce chapitre, je serais très mal placé pour donner des leçons de sagesse et d'équilibre, tout le désordre de ma vie est là pour le prouver. Mais Sarkozy a beau s'époumoner en dénégations, il y a, chez lui, comme chez beaucoup de gens, quelque chose qui dérange. Une nervosité, une ivresse de soi, une exagération fiévreuse.

À ses yeux, il s'agit pourtant d'une question taboue : le président ne souffre pas que l'on essaie d'entrer dans sa psychologie, comme si on risquait d'y trouver des choses affreuses. Or, il n'y a rien à chercher. Il est, en vérité, totalement transparent. Max Gallo, dont il aurait aimé faire l'historien officiel de son mandat, me l'a très bien dit un jour : « C'est quelqu'un qui met tout sur la table, comme s'il n'avait ni cave ni grenier où il cacherait des secrets. »

Encore qu'il n'est vraiment lui-même que depuis son élection. « Il est capable d'être très calculateur, observe Patrick Devedjian. Ses combinaisons politiques sont très sophistiquées, échafaudées longtemps à l'avance. Il cite souvent une devise de la Légion : "Préparation difficile, guerre facile. Préparation facile, guerre difficile." Avant sa prise de pouvoir, il s'est mis dans un corset et s'est astreint à une discipline de fer dont il s'est délivré avec soulagement quand il est devenu président. Alors, il s'est lâché. »

Cet homme est désormais sans mystère. Il est de son temps : pas romanesque ni romantique ; réaliste et individualiste, voire nihiliste.

Tout au long de mon enquête, je me suis livré à un petit exercice : j'ai demandé à tous mes interlocuteurs, amis ou ennemis de Nicolas Sarkozy, de m'en brosser un portrait rapide. De Brice Hortefeux à Jean-Louis Debré, de Patrick Devedjian à Jean-Luc Mélenchon, j'ai presque toujours eu droit aux mêmes mots :

Qualités	Défauts
Très énergique	Trop impulsif
Gros travailleur	Hyper-égotique
Excellent dans la gestion de crise	Sans conviction

Tous le décrivent aussi comme une « éponge », absorbant tout, et un « déclassé », fasciné par l'argent, qui veut prendre sa revanche contre le monde.

Rien de grave. Rien, en tout cas, qui relève de l'hôpital psychiatrique.

Ce qui est en jeu chez lui, ce n'est pas sa tendance à hystériser les relations humaines ni la question du père, un père biologique honni qu'il a tué symboliquement, après qu'il eut quitté sa famille, avant de tuer de la même façon ses pères en politique, Pasqua, Chirac, puis Balladur. Ce qui est en jeu, c'est surtout l'incapacité à maîtriser ses désirs et à contrôler sa parole chez cet adepte de la toute-jouissance, apparemment inapte à la méditation et au recueillement. En courant sans cesse après ses envies du moment, cet homme, toujours en demande d'amour et de reconnaissance, donne le sentiment de n'être pas achevé.

Un soir, dans un moment d'abandon, Nicolas Sarkozy m'avait dit :

« C'est drôle, mais je crois que, dès la jeunesse, on se donne un âge et qu'après on n'en change jamais plus. Jusqu'à la mort.

— Et toi, quel âge as-tu dans ta tête ?

— Vingt ans. »

Il avait répondu sans hésiter, ce qui me sembla louche.

Je lui donnerais entre quatorze et seize ans dans la mesure où il a longtemps eu une mère à la maison. Une figure tutélaire qui porte son surmoi pour lui. Une maman porteuse, si j'ose dire.

C'était le rôle dévolu à Cécilia qui, naguère, ne le lâchait pas d'une semelle et dont il cherchait sans cesse les yeux pour y guetter une approbation ou une divergence qui se manifestait par d'imperceptibles clignements et papillotements. Parfois, quand il dépassait les bornes, par un geste du menton. Leurs regards se buvaient. Ils étaient en fusion.

C'est sans doute pourquoi le départ de Cécilia fut, pour lui, un tel arrachement. Elle s'est fait la malle avec son surmoi.

6

Chagrin d'amour

« Souvent femme varie, bien fol qui s'y
fie. »

François Ier

Un an plus tôt, je m'étais moi-même fait pla-
quer du jour au lendemain par ma dernière
épouse. Je vécus donc en empathie le chagrin
d'amour de Nicolas Sarkozy. Il aimait trop Cécilia
et il en mourut pendant plusieurs semaines. Les
yeux rougis, tout en se repassant indéfiniment et
dans tous les sens le film de sa rupture.

Nous avions toujours la même conversation.
« Je ne comprends pas », répétait-il. Il ne comprenait pas comme je ne comprenais toujours
pas, dans mon propre cas. Nous, les hommes,
avons une si haute idée de nous-mêmes que nous
ne pouvons imaginer que notre femme puisse
nous quitter.

En l'écoutant parler, j'avais des bouffées de
sympathie : il était si touchant. Il venait de découvrir que l'amour est une fleur fragile qu'il faut
arroser tous les jours. Il disait qu'il s'en voudrait
jusqu'à son dernier souffle d'avoir considéré que
cette fleur était éternelle et qu'elle n'avait besoin
de rien. Or, tout passe, tout lasse, tout casse. Les
fleurs, en particulier. On s'en occupe quand on
peut, alors qu'on ne devrait jamais cesser de le

faire : c'est tout le reste qui est une perte de temps.

Entre brûlés de l'amour, on se comprenait. Je croyais m'entendre et j'avais envie de le serrer dans mes bras : que l'amour l'anéantisse à ce point, c'était la preuve qu'il valait le détour, que c'était un type bien, il n'y avait pas à tortiller.

Il avait changé. D'abord, il n'avait plus aucune vanité ni dignité. Il était prêt à reprendre demain une femme, qui l'avait fait cocu devant la terre entière : rien d'autre n'avait d'importance. Ensuite, son visage s'était un peu ramolli. La texture en avait rosi et ses yeux s'étaient enfoncés dans ses orbites assombries. Tels sont les effets du chagrin d'amour qui dure toute la vie – jusqu'au coup de foudre suivant.

« Y a bien eu un déclic ? demandai-je.

— Non, rien. C'est arrivé comme ça. »

Il tenait sans cesse des propos du genre : « Il a fallu qu'elle parte pour que je me rende compte que l'amour était la seule chose qui compte dans la vie. J'ai trop privilégié l'ambition. Si je devais choisir entre ma carrière et son retour, je n'hésiterais pas une seconde. » Ou bien : « Une femme ne comprend jamais qu'on n'aime qu'elle, même quand on va voir ailleurs. Mais aller voir ailleurs, ce n'est pas tromper. Tromper, c'est partir. »

Je n'aurai jamais le fin mot de cette histoire, mais comme certains de ses proches, et non des moindres, j'ai subodoré un moment que Cécilia était partie après que des services de police lui eurent fait parvenir ce qu'on appelle une note blanche, c'est-à-dire non signée, faisant état d'une escapade de son époux dans un hôtel du Sud – à Nice ou en Corse, les versions divergeaient.

Cécilia et lui ont toujours démenti cette thèse et je ne vois aucune raison de ne pas les croire.

44

Lui, surtout. Ce serait en effet une raison supplémentaire de noircir le portrait de Villepin, Fouché de Chirac, qui occupait alors le ministère de l'Intérieur et semblait prêt à tout pour abattre son rival à l'élection présidentielle de 2007.

Nicolas Sarkozy n'a jamais été blanc-bleu et Cécilia était une femme jalouse, très jalouse. A-t-elle su quelque chose qu'elle n'aurait pas dû savoir ? Impossible de s'en tenir à une vérité entre les foutaises, les racontars et les conjectures. Rien n'interdit cependant de penser qu'elle est tout simplement tombée sous le charme de Richard Attias, publicitaire au grand cœur et à l'œil de velours.

L'affaire a été rondement menée. Les coups de foudre n'attendent pas.

C'est Laurent Solly, chef de cabinet de Sarkozy, sorte de d'Artagnan moderne, la grâce incarnée, qui, le 22 mai 2005, lui a annoncé la nouvelle :

« Votre femme vient de partir en avion… »

Le ciel est tombé sur la tête de Sarkozy et la disgrâce de Solly a commencé ce jour-là.

Ce 22 mai 2005, en se rendant au colloque des Prix Nobel de la Paix, à Petra, en Jordanie, sous l'égide d'Élie Wiesel, Maurice Lévy, le patron de Publicis, croise Cécilia, seule, dans l'avion. Il est un peu étonné et puis n'y pense plus. Quand il arrive à l'hôtel, elle l'appelle et lui propose de prendre un verre, le soir.

« Voilà, lui annonce-t-elle tout à trac quand ils se retrouvent. J'ai trouvé l'homme de ma vie, j'ai décidé de quitter Nicolas.

— Mais tu ne peux pas faire ça !

— C'est décidé, je te dis.

— Attends un peu. Il y a les élections dans deux ans.

— Je ne veux pas devenir la première dame de France. »

Quand il apprend que l'heureux élu est Richard Attias, l'un de ses proches collaborateurs, Maurice Lévy pète les plombs. Attias travaillait à l'UMP, donc pour Sarkozy, son président, et dans le métier de la communication comme dans les autres, il n'est pas bien vu de prendre la femme du client.

L'humanité n'a pas attendu *Roméo et Juliette* pour savoir que l'amour, fort comme la mort, brûle toujours ses vaisseaux. Il a déjà brûlé ceux de Cécilia Sarkozy et de Richard Attias qui, ce soir-là, dorment dans la même chambre.

7

Le miroir de Cécilia

« Si vous ne pouvez être une étoile au ciel,
soyez du moins une lampe à la maison. »

George ELIOT

Henri de Régnier, un écrivain que tout le monde a oublié, est l'auteur d'une des plus justes formules que je connaisse : « L'amour est éternel tant qu'il dure. » En vertu de cet adage, Nicolas Sarkozy a très vite trouvé une nouvelle femme. Une journaliste qui le fascine depuis longtemps, son contraire à bien des égards. Elle a beaucoup de recul et d'humour, un humour perceptible jusque dans son timbre de voix qui frémit quand elle blague, ce qui est souvent le cas. Ces adorables gloussements ne sont pas les moindres de ses charmes.

Là encore, l'affaire n'a pas traîné. La journaliste a rapidement quitté son mari pour s'installer avec son amoureux qui a fait la conquête de ses enfants et lui promet tout, à commencer par le mariage. Mais un amour peut toujours en cacher un autre. Chez les hommes, en tout cas.

Tout en contant fleurette à sa nouvelle bien-aimée, Nicolas Sarkozy cherche, de l'autre côté, à récupérer Cécilia qui file le parfait amour avec Richard Attias, du côté de New York. Il est convaincu que rien ne lui résiste, et l'expérience semble lui avoir toujours donné raison. Il bombarde donc la fugitive de SMS et de coups de téléphone, notamment sur le mode : « Es-tu heureuse au moins ? Passer son temps à pousser son Caddie dans les hypers pour le remplir de courses avant de faire la bouffe pour tout le monde, c'est pas une vie, ça. Enfin, pas vraiment à côté de celle que je te propose. »

Cécilia résiste. C'est une femme digne et libre, qui assume ses choix. Il n'y a rien à faire, elle est amoureuse, peut-être même amoureuse comme elle ne l'a jamais été, mais elle garde le contact avec celui qui est encore son mari. La porte n'est pas tout à fait hermétique. Il y a, dessous, des interstices et des jours par lesquels Sarkozy entend bien, lui, se faufiler.

Il ne lâche pas l'affaire. Après tout, même si rien ne permet d'établir l'élément déclencheur, hormis une jalousie justifiée, il est possible que Cécilia ait aussi voulu fuir son entourage en fuyant son mari. Une garde noire qu'elle a fréquentée de près quand elle a pris un bureau à l'UMP, après la conquête par son mari du parti majoritaire, en 2004. Une garde noire qui n'a jamais reconnu son autorité, du moins en matière de politique.

Elle est composée de soldats dévoués à Sarkozy, à la vie, à la mort : Brice Hortefeux, l'ami, Pierre Charon, le frère, Frédéric Lefebvre, le hussard, Laurent Solly, le chevalier, et Franck Louvrier, le communicant. Le genre avec qui on peut aller à la guerre. Charon, notamment. Il se fera tuer pour vous.

Ils ont tous, plus ou moins, pris à la blague la femme du patron. Il est vrai que l'intrusion de Cécilia dans l'appareil de l'UMP fut globalement un échec. Elle n'avait ni l'art ni la manière. Incapable de changer d'avis, elle assénait ses certitudes à coups de marteau. Elle était bien trop cassante, comme toutes les personnes qui doutent, à juste titre ou pas, de leurs propres compétences.

En matière politique, elle en connaît pourtant un rayon. De manière informelle, elle a déjà tout fait auprès de son mari : secrétaire, attachée de presse, éminence grise, chef du protocole. Elle a même joué avec l'idée de se présenter sur la liste de l'UMP dans les Hauts-de-Seine, aux élections régionales de 2004. Son mari y a mis le holà mais en a fait son chef de cabinet – son premier titre officiel – dès qu'il a pris le contrôle du parti majoritaire, à la fin de la même année.

C'est sans doute pendant ces mois de cauchemar comme chef de cabinet à l'UMP qu'elle a eu envie de briser le miroir. Il lui donnait une image qui n'était plus la sienne, celle de l'alter ego, du double fusionnel, du surmoi maternel. Elle s'est retrouvée, soudain, seule et démunie, au milieu de professionnels que les lois darwiniennes de la politique avaient passés au tamis : ceux qui restaient, après tant d'années, étaient, bien sûr, les meilleurs dans leur spécialité ; ils n'allaient pas se mettre sous la coupe de l'épouse de Sarkozy, lequel s'était au demeurant bien gardé de leur demander quoi que ce fût.

Quand ils sentent un fossé entre ce qu'ils sont et ce qu'ils voudraient être, la plupart des gens ne le supportent pas. Telle est la genèse de tant de névroses et de crises psychologiques qui conduisent à la dépression, à l'anorexie, au shopping compulsif et aux ruptures amoureuses. C'est ce qui est arrivé à Cécilia qui s'est subitement sentie dépossédée d'une victoire annoncée où elle avait eu, ô combien, sa part. Comme si sa créature lui avait échappé. La séduction de Richard Attias a fait le reste.

8

La truffe

« Dis-moi ce que tu manges, je te dirai qui tu es. »

BRILLAT-SAVARIN

La première fois que Cécilia revint au bercail, j'avais invité le couple Sarkozy à la maison pour fêter l'événement. C'était le 24 janvier 2006. Même si j'étais triste pour la journaliste, une femme dont tout le monde aurait rêvé, j'étais heureux de leurs retrouvailles.

On aurait dit un jeune couple. Il y avait, entre les Sarkozy, des petits gestes d'affection qui présageaient bien la suite. Une douce gravité et une certaine retenue, qui avaient donné à cette soirée un charme particulier. Nous avions peu ri, mais pas mal réfléchi ensemble.

Ma femme et moi avions mis les petits plats dans les grands. Je m'étais ruiné en vin. Du Château Latour 1989. J'avais acheté aussi une grosse truffe avec des sentiments mêlés. J'ai toujours souffert de gastrolâtrie, l'autre mot pour la gloutonnerie, et je m'étais laissé aller, une fois de plus, à mon péché mignon qui, en l'espèce, avait été très onéreux. Comme toujours dans ces cas-là, je me sentais affreusement coupable : le prix de mon vice représentait bien plus de la moitié d'un SMIC. Je serai toujours un incorrigible jouisseur

51

hédoniste, prêt à tout pour une goinfrade. Il faudrait, me disais-je, que je songe à donner très vite aux pauvres : la générosité, c'est la meilleure façon de se faire du bien ; surtout quand on croit avoir mal agi.

Rien qu'à respirer ma truffe plus grosse encore qu'une balle de golf, je salivais comme le chien avide qui bave à grands flots devant un morceau de viande avariée. Toute la maison fleurait la truffe et sa bonne odeur de pourriture chatouillait nos poumons, elle nous grisait, elle nous emportait. Tous sauf Nicolas Sarkozy qui, lui, gardait son calme, les pieds sur terre.

Il ne daigna pas goûter mon vin et n'apprécia pas particulièrement mes pâtes aux truffes ou plutôt ma truffe aux pâtes : après en avoir pris une petite portion, il refusa d'être servi une seconde fois. Quant à ses compliments, ils furent de politesse après ceux, enthousiastes, de Cécilia.

Je lui avais pourtant épargné mon numéro habituel sur la truffe. En qualité de membre déjà très ancien de l'Association des trufficulteurs des Alpes-de-Haute-Provence, ma seule carte de parti ou d'association, qui ne quitte jamais mon portefeuille, j'en connais un rayon sur ce monument français. Je crois même que c'est une des nombreuses vocations que j'ai ratées puisque j'ai toujours eu du mal à aller au fond des choses. C'est vrai de la littérature comme de la trufficulture.

J'aurais pu raconter à Sarkozy, pour achever de le dégoûter, qu'il semble établi que la truffe se propage par la merde. Personnellement, j'aime bien l'idée que les spores reproductrices du déifique champignon restent intactes dans les tripes des sangliers ou des humains : il leur faut attendre que nous ayons crotté, nous et nos frères les cochons, pour se développer là où nos abjectes déjections ont atterri. Quand on croit, comme moi, au Grand Tout spinozien, il y a des raisons métaphysiques d'aimer la truffe qui, même dans les assiettes les plus chichiteuses des restaurants étoilés, nous rappelle d'où l'on vient et où l'on va.

Dieu merci, connaissant les goûts du personnage, j'avais évité de servir des fromages et notamment ces banons coulants, ces maroilles puants ou, pire encore, ces tomes pourries qui me rendent fou, avec des reflets orangés ou brunâtres, que des montagnards pas causants vendent à prix d'or, du côté de Sisteron, après les avoir affinées dans leur cave pendant deux ou trois ans. Je crois bien que Nicolas Sarkozy aurait vomi à leur vue. Il y avait au moins un risque et je ne pouvais pas le prendre : ç'aurait pu être préjudiciable à ma carrière, même si elle touchait à sa fin.

« Comment peux-tu vivre sans vin ? lui demandai-je.

— C'est simple, je n'aime pas le vin.

— Mais c'est impossible de ne pas aimer le vin. Il y en a tant et tant. Des gentils, des forts, des doux, des acides, des puissants. Quand tu en auras goûté plein, tu finiras forcément par en trouver un qui te plaira.

— Je préfère le Coca light. »

J'étais troublé. Je me demandais comment un homme qui n'aime pas le vin et à qui on ne peut servir de fromages purulents, pourrait devenir président de la République. Il lui manquerait quelque chose pour être en harmonie avec le pays.

Certes, le goût se perd et s'affadit sous la dictature des grandes surfaces et de la déculturation en marche, mais bon, il y a encore, en France, des poches de résistance. Comment Sarkozy pourrait-il être en phase avec ce pays s'il ne vivait que de Coca light, de yaourts maigres et de fromages blancs à 0 %, de compotes sans sucres ajoutés et de chocolats en carrés ou en tablettes ?

Là était sans doute sa grande faille. Cet homme était, du moins à table, une sorte de peine-à-jouir. Chocolat excepté, il se privait de tous les plaisirs. Pas ceux du pouvoir, bien sûr, mais ceux de la vie, on se comprend. Il ne ressemblait pas à ses électeurs et aurait toujours du mal à les comprendre.

Je sais que la soupe d'artichaut aux truffes, servie avec des brioches, chez Guy Savoy à Paris, est son plat préféré[1]. Je sais aussi qu'il adore La Petite Maison, à Nice. Un des restaurants les plus fous de France, avec ses rafales de plats en tout genre, aubergine à la parmesane, beignets de fleurs de courgette, artichauts poivrade, spaghetti flambés au cognac, tiramisù, glace niçoise, pain perdu aux pêches pochées, flan au caramel, crêpes à l'orange caramélisée, mousse au chocolat blanc, mais il faut que j'arrête, la salive me vient aux lèvres en écrivant ces lignes.

Quelqu'un qui aime la cuisine niçoise en général et La Petite Maison en particulier ne peut être foncièrement mauvais. Mais il n'y va pas si souvent et je le soupçonne d'aimer surtout les desserts, il est vrai épatants. Avec un gros faible pour les Haribo, servis à volonté dans de grands bocaux avec le café.

Jusqu'à présent, la France n'avait connu que des présidents qui, s'ils n'étaient pas tous bâfreurs, aimaient la bonne chère. J'entends encore les bruits de déglutition ou les soupirs de contentement de Mitterrand ou de Chirac quand ils

---

1. Cf. Maurice Szafran et Nicolas Domenach, *Off*, Fayard, 2011.

s'emplissaient la panse de leurs plats canailles pré-férés. Même s'il est moins expansif, Giscard aussi savait se goberger. Quand Sarkozy sera président, me disais-je avec nostalgie à la fin de ce dîner, on n'aura plus droit, sous les lambris de la Républi-que, qu'au tintement de la cuillère contre l'embal-lage en plastique des pots de yaourt.

9

Des boulets aux pieds

« Il faut casser le noyau pour en avoir
l'amande. »

PLAUTE

Cécilia n'est plus que l'ombre d'elle-même. Ses
traits se creusent, elle pleure tout le temps et dis-
paraît souvent dans son Austin Mini noire. À l'évidence, elle n'a pas fait le deuil d'Attias.

Son mari le sait, mais lui n'a pas fait le deuil
de Cécilia. La voix et les yeux doux, il tente de la
séduire à nouveau avec une patience de joli cœur
qu'on ne lui soupçonnait pas. Ses traits se creusent aussi.

J'aime sa façon tranquille de braver le destin
et de chercher à retourner la situation. Je sais que
le mot est grandiloquent, mais il y a dans cette
attitude quelque chose de christique, comme si
Sarkozy avait décidé de payer toutes les fautes
par lui commises au temps de leur bonheur.

Quand je le vois, je ne lui parle jamais de ce
qu'il vit. Je n'ose pas et je sais ce que c'est de vivre
avec une femme qui ne vous aime plus. Le silence.
Les grands froids dans le lit. Il ne laisse au
demeurant rien apparaître de ses ennuis domes-
tiques. Il assure.

Ses réveils sont forcément difficiles et, comme
beaucoup d'observateurs du couple, je me

demande comment un amoureux transi, ce qui est apparemment son cas, peut espérer gagner l'élection présidentielle de l'année suivante alors que la campagne exige une forme physique et une vigilance de tous les instants.

C'est Jean-Michel Goudard qui, un jour, m'a donné la clé. Un personnage atypique et fascinant, ce Goudard. Un puits de culture, d'esprit et de joie de vivre, derrière laquelle j'ai cru voir, souvent, le soleil noir de la mélancolie. Ni dupe ni courtisan, il aime Nicolas Sarkozy d'une vraie amitié sans rien attendre en retour. Le désintéressement est au demeurant la marque de fabrique de ce publicitaire qui a fait une grande carrière internationale, aux États-Unis et au Japon. C'est lui qui, en 1995, avec son compère Bernard Brochand, a contribué à faire élire Jacques Chirac dont ils dirigeaient la stratégie. Sitôt son candidat élu, il est retourné à ses affaires aux États-Unis. Sans rien demander.

De retour en France, il se rêvait une retraite dorée, mais avant de l'enrôler, presque de force, à l'Élysée, Nicolas Sarkozy l'a intégré dans son équipe de campagne où il a fait merveille en jouant tous les rôles à la fois : le sage, le confident, le gourou, le porte-bonheur et la mouche du coche. L'auteur aussi du slogan de campagne : « Ensemble, tout devient possible. » Il est, de surcroît, l'un de ceux qui connaissent le mieux les arcanes de la psychologie sarkozyenne.

« On n'a rien compris à cet homme, me dit Goudard quelques semaines avant l'élection présidentielle de 2007, si on ne voit pas que Nicolas est toujours dans la performance, comme un sportif de haut niveau. Il serait du genre à jouer au tennis avec des chaussures à crampons ou à faire du vélo avec un barda d'alpiniste. Pour s'assurer qu'il est le meilleur, il a besoin d'avoir des boulets aux pieds. »

Question boulets, il sera servi, Nicolas Sarkozy. Certains matins, ses collaborateurs seront saisis par son visage exténué par le malheur et les nuits blanches. Mais il ne s'ouvre jamais à eux. Il serre les dents.

Le lendemain du premier tour, après que Cécilia eut proposé à Isabelle Balkany, vieille amie du couple, de faire des courses avec elle, les deux femmes se retrouvent autour d'un thé. Avant même qu'il ait infusé, l'épouse de Sarkozy laisse tomber :

« Je te préviens. Je quitte Nicolas demain.

— Mais tu ne peux pas te casser entre les deux tours ! Tu n'as pas le droit de nous faire ça !

— Je suis amoureuse. Richard Attias est l'homme de ma vie. »

Pendant des heures[1], Isabelle Balkany rame pour convaincre Cécilia de donner à son mari quelques jours de plus, le temps de gagner l'élection. Elle obtient gain de cause. Mais les jours suivants, avant le scrutin, le couple Sarkozy continue de se déliter à grande vitesse. Pour preuve, entre autres, la scène de ménage qui se déroule par téléphone, juste avant le débat avec Ségolène Royal, dans les loges du studio de télévision.

Sarkozy est à la torture. D'autant qu'il refuse de tourner la page. Rien ni personne ne lui résistant, il est encore convaincu qu'il finira par la reprendre.

L'avant-veille du second tour de l'élection présidentielle, il appelle Alain Minc pour hurler

---

1. Cf. Patrick Balkany, *Une autre vérité, la mienne*, Michel Lafon, 2009.

contre une déclaration de Jean-Claude Trichet, le président de la Banque centrale européenne.

« Allez, ça va, dit Minc. Donne-toi le temps d'être heureux.

— Je n'ai pas de propension au bonheur. »

Le moindre de ses embarras n'est pas la vendetta que Cécilia a décidé d'engager, dès le début de la campagne, contre les plus anciens et plus dévoués de ses serviteurs. Elle a proposé à Jean-Michel Goudard d'être l'exécuteur en chef de son plan d'extermination de la garde noire : Hortefeux, Charon, Lefebvre, etc.

« Mais tu n'y penses pas ! proteste Goudard. Ce serait de la folie pure et simple. Tous sont, chacun dans sa catégorie, compétents, loyaux et formidables. »

Cécilia ne se le tiendra jamais pour dit. Quant à son mari, il fera semblant, jusqu'au bout, de ne rien voir des intrigues et des complots qui se nouent autour de lui. Il veillera avec soin à ne jamais se mêler de rien. Il est prêt à tout pour retrouver sa femme, quitte à sacrifier ses amis. L'amour façonne des héros, des imbéciles et puis aussi des faibles.

10

La botte de Tartarin

« L'âne se couvre de la peau du lion. »
                                ÉSOPE

C'est une campagne présidentielle qui rappelle, à bien des égards, celle de Valéry Giscard d'Estaing : « La continuité dans le changement. » Sauf que, pour faire poids, il est, cette fois, question de rupture. Ministre de l'Intérieur à quelques semaines encore du scrutin, Nicolas Sarkozy a la légitimité d'un candidat sortant et le pouvoir de séduction d'un opposant. Les deux en un. Et il monopolise tout. La parole. Le débat. Les conversations.

C'est l'omni-candidat. Toujours là où on ne l'attend pas. Mirobolant et pétaradant, Sarkozy asphyxie ses concurrents qui, malgré le talent de certains d'entre eux, peinent à se faire entendre. Il fait rêver. Il réhabilite la politique et semble apporter quelque chose de neuf à une France qui, depuis plus d'un quart de siècle, s'écoute dormir, sous l'effet des soporifiques administrés par la droite comme par la gauche.

On le dirait sorti d'un conte de fées : c'est le Petit Prince qui vient réveiller la Belle au Bois dormant. En prenant le contre-pied de l'idéologie ambiante, celle du cynisme matérialiste et du « rien ne vaut rien, donc tout se vaut ». En prônant un retour aux valeurs qui, pendant longtemps, ont si bien réussi à la France : l'effort, la méritocratie et la transmission de l'héritage culturel par l'éducation. Il réussit presque à donner au pays l'illusion qu'il lui ramènera sa grandeur perdue.

C'est en effet le discours que la France veut entendre, cette année-là. Sans doute se rend-elle compte que Sarkozy marche de guingois, sur ses deux pieds. C'est normal, ils ne vont pas dans la même direction. L'un est jacobin et dirigiste dans la tradition gaullo-bonapartiste de la droite française. L'autre est libéral dans un esprit anglo-saxon que le candidat célèbre volontiers, avec une américanophilie qui l'amène même à porter aux nues, par une sorte de provocation enfantine, l'un des plus mauvais présidents américains des dernières décennies : George Bush Junior.

On sait bien que Sarkozy finira un jour, s'il est élu, par tomber sur un seul pied avant de s'appuyer sur l'autre. Tant il est vrai que l'art de la politique s'apparente souvent à l'art du cloche-pied. À ne pas confondre avec l'art du croche-pied. Mais l'important pour un candidat est d'avancer et de convaincre. C'est ce qu'il fait. Avec autorité.

Pendant cette campagne, Sarkozy mène deux combats de conserve : conquérir l'Élysée et, en même temps, reconquérir Cécilia. Que le second combat ressemble de plus en plus à une cause perdue et que cet échec annoncé le ronge jusqu'à la moelle, cela ne l'empêche pas de marquer sans cesse des points sur le plan politique. Il y a, au fond de lui, un moteur qui ne s'arrête jamais, même quand tout foire autour. Le moteur increvable des grands politiques, ceux qui ne savent pas mourir.

Leur force vient souvent d'une forme de transcendance : le peuple, la France ou, plus communément, leur destin personnel. Mais le mot de transcendance n'est pas adapté à Nicolas Sarkozy. Il est trop autocentré.

Il y a chez lui quelque chose que je n'ai jamais vu à ce point chez Mitterrand ou chez Chirac : un optimisme à toute épreuve, la certitude qu'il est le meilleur, une aptitude à s'auto-intoxiquer, une méthode Coué érigée en principe vital.

Quand il parle d'abondance pendant les réunions avec ses collaborateurs, durant la campagne et, plus tard, à l'Élysée, c'est d'abord pour se rassurer. Ce discours en petit comité est toujours sur le même mode avantageux, qui peut prêter à sourire : « Vous voyez comme je suis malin, personne n'y aurait pensé, eh bien moi, si, c'est quand même une sacrée idée que j'ai eue et, franchement, ça n'était pas gagné. » Et ainsi de suite.

Du Tartarin. J'exagère à peine. L'humilité n'est pas son fort et, après tout, on n'est jamais mieux congratulé que par soi-même. Pour un peu, il écrirait ses propres hagiographies, pour y dire qu'il ne cesse de s'étonner lui-même. Gageons qu'il y viendra.

Je crois que tout découle de ce tartarisme. Sa vitalité. Son culot. Son incroyable obstination. C'est sa botte. Jean-Michel Goudard, encore lui, a bien résumé la chose quand il me disait, après ses premières séances de travail avec le candidat, en 2006 : « Parce qu'il sait que l'optimisme fabrique toujours de l'optimisme, Sarkozy ne croit qu'à la dynamique de l'optimisme. »

Chez lui, l'optimisme n'est pas un état d'esprit. C'est avant tout une méthode de travail.

11

« Petit Français de sang mêlé »

« L'avenir finit souvent mal, surtout quand il est bel. »

Aristide GALUPEAU

Quitte à passer pour un jobard ou un couillon, j'ose dire que j'ai pleuré en regardant, à la télévision, la retransmission du discours de Nicolas Sarkozy au Parc des expositions à la porte de Versailles, le 14 janvier 2007, après que l'UMP eut intronisé sa candidature à la présidence de la République. Je reconnais que c'était idiot et même ridicule. Je reconnais aussi que j'aurais pu réserver mes larmes à d'autres événements qui les eussent méritées.

Mais bon, même si ce n'est pas une excuse, je ne fus pas le seul à fondre en écoutant Sarkozy tenter de transporter la France avec cette métaphysique de quatre sous qui, en politique, tient lieu d'idéologie. Il utilisait, avec leur majuscule, des mots qu'on n'entendait plus guère. Après s'être présenté comme un « petit Français de sang mêlé », il nous expliquait aussi que l'on pouvait croire encore en notre cher et vieux pays. Enfin, il parlait à tout le monde, aux bourgeois comme au petit peuple. Aux « Gaulois » de souche comme aux immigrés de la première génération.

Ce discours de la porte de Versailles restera sans doute comme l'un des plus grands moments de l'éloquence politique. Il me rappelait Mitterrand à son meilleur. Que Sarkozy ne fût pas, par la suite, à la hauteur de ces belles phrases déclamatoires, qu'il les ait peut-être même prononcées sans y croire, c'est, hélas, le lot de la politique où la tartufferie s'est toujours bien portée. Mais il avait fait sortir quelque chose de notre sol endormi.

Si les mots ont un sens, le « petit Français de sang mêlé », à moitié hongrois, avait prononcé un discours de gauche en exhumant sans complexe les cadavres de Jaurès et de Blum que les socialistes avaient oubliés depuis longtemps déjà dans leur caveau. « Au voleur ! » s'égosillèrent-ils. Par cet acte de brigandage, Sarkozy pouvait prétendre incarner demain la France tout entière. Après ça, je ne doutais plus qu'il serait élu président de tous les Français, pour reprendre la formule giscardo-mitterrandienne.

Pour un peu, quand il dénonçait le statu quo, on aurait cru entendre Blum qui écrivait : « Toute classe dirigeante qui ne peut maintenir sa cohésion qu'à la condition de ne pas agir, qui ne peut durer qu'à condition de ne pas changer, qui n'est capable ni de s'adapter au cours des événements ni d'employer la force fraîche des générations montantes, est condamnée à disparaître de l'Histoire[1]. » C'est une phrase qui peut s'appliquer à tous les pouvoirs sortants. Mais en France, on avait le sentiment, à tort ou à raison, que c'était toujours le même pouvoir depuis des décennies, sous des couleurs différentes.

De plus, Sarkozy nous parlait une langue qu'on n'avait encore jamais entendue. Comme souvent,

---

1. *À l'échelle humaine*, Gallimard, 1945.

je me sentais totalement en phase avec Max Gallo, fils d'immigrés comme moi, une belle personne qui n'a jamais eu peur de rien, surtout pas des causes perdues, quand il m'a dit : « Jusqu'à présent, pour évoquer la France, il fallait avoir les pieds sur terre, de préférence celle du Massif central. Lui, il nous a donné toutes les raisons d'aimer la France, de manière abstraite et intellectuelle, pour ce qu'elle était. »

J'avais perdu mon esprit critique, peut-être aussi tout sens commun. Comme tant d'immigrés ou d'enfants d'immigrés, il me semblait qu'il avait trouvé les mots qu'il fallait pour parler de la France éternelle qui a tant de choses à dire au monde. Il nous proposait de sortir de la naphtaline où nous fermentions, d'arrêter de nous dégoûter de nous-même et de cesser de nous laisser mourir à petit feu pour renaître enfin. Farceur !

Je pensais même qu'il était capable de se sublimer et de devenir l'homme idoine pour en finir avec cette société à cran, épouvantée par le monde moderne, qu'a si bien décrite un jour Georges Bernanos : « À chaque nouvelle secousse, cramponnée à sa mécanique séculaire, à ses volants, à ses leviers, elle ordonne d'une voix étranglée par la peur de resserrer d'un tour, d'un autre tour et d'un tour encore, l'ordre administratif, vissé jadis par le Premier consul. Une société pareille peut bien inspirer de la compassion ou du mépris, il est clair qu'elle ne donne à personne l'illusion de la sécurité. »

Je ne doutais pas qu'il saurait réconcilier les Français. Je savais bien qu'une partie non négligeable de son discours de la Porte de Versailles était l'œuvre d'Henri Guaino. Un sacré personnage, élevé par sa mère, femme de ménage.

Un enfant de la République méritocratique et un intellectuel gaulliste de haute volée. On disait qu'ils avaient travaillé le texte ensemble de longues heures, s'accrochant sur un mot ou une virgule, dans des séances de travail épiques. J'étais donc en droit de considérer que ce texte-fleuve était la matrice du sarkozysme, totalement assumée par le candidat. Si je nourrissais des réserves, et j'en avais, ne serait-ce que par mon métier, qui enseigne la méfiance, elles étaient souvent dissipées par l'espèce d'hystérie collective de la bien-pensance : celle-ci nous annonçait, avec la victoire de Sarkozy, l'avènement d'un nouveau fascisme, avec guerre civile à l'appui.

Souvent, il y avait dans cet anti-sarkozysme thyroïdien des relents que je n'aimais pas, ceux qu'un écrivain marqué à droite, maurrassien à ses heures, a résumé dans une formule qui exprime à merveille une certaine bonne conscience française : « La France est la patrie du genre humain et l'on y est très accueillant aux étrangers, exception faite, bien entendu, pour les amerloques, les angliches, les fridolins, les macaronis, les espingouins, les polacks, les macaques, les ratons, les youpins et autres métèques. » Il s'agit de Thierry Maulnier.

Tous les racistes de France étaient anti-sarkozystes mais tous les anti-sarkozystes n'étaient pas racistes, cela va de soi. Jean-François Kahn, par exemple. Un ami de quarante ans qui a toujours laissé sa liberté d'esprit mener ses pas. À lui seul, un festival d'anti-conformisme dans un monde de plus en plus confit.

Jean-François Kahn m'a beaucoup appris et je me suis souvent inspiré de l'art de l'imprévisibilité et du contre-pied qu'il a manié comme personne dans les journaux qu'il a dirigés, *L'Événement du jeudi*, puis *Marianne*. Ce journaliste-philosophe a toujours pris soin de ne jamais faire partie de la meute. Ni de la moutonnaille. Et ses vacheries les pires sont toujours corrigées par un rire. N'étaient quelques fixettes, comme son allergie d'Alain Duhamel, nous serions d'accord sur tout. Il ne se la pète pas et, comme moi, il met très haut dans son panthéon personnel l'opéra, le vin et les provinces françaises.

Pour preuve, nous déjeunons toujours dans des restaurants de pays où des VRP ventrus, sortis du siècle dernier, nouent leur serviette autour du cou avant de s'empiffrer comme nous de lentilles vinaigrette ou d'autres plats d'autrefois. Nous avons les mêmes phobies, à commencer par les grandes surfaces et la bouffe industrielle.

À cette époque, « JFK » cherchait à me recruter dans sa croisade anti-Sarkozy. Il écumait :

« Tu ne peux pas croire un mot de ce que dit Sarko. C'est du foin, de la foutaise !

— À force de répéter des choses dans leurs discours, les politiques finissent toujours par les croire. Parfois, même, ils les font.

— Il ne le fera pas, lui. Il ne fera même rien de ce qu'il dit. Il est trop égotique, trop versatile, trop irrationnel. Trop fou aussi. Il serait capable de foutre le pays en l'air.

— Ta passion t'aveugle.

— Toi, c'est ta naïveté qui t'aveugle. »

Il exagérait, comme d'habitude, et moi aussi, dans un autre genre. Nous sommes tous les deux des exagérateurs, les journalistes le sont souvent. On ne se refait pas. Finalement, je préférai détourner la conversation sur Puccini, l'une de nos passions communes dont les grands airs, comme celui de *Tosca*, nous font pleurer à grands flots. Je ne rendis cependant pas vraiment les armes, en mon for intérieur. J'appréciais la niaque incroyable de Ségolène Royal et la bravoure ombrageuse de François Bayrou, mais il me semblait que Nicolas Sarkozy était le mieux placé pour porter le cadavre de la France et peut-être même la ressusciter, avant qu'elle ne pourrisse jusqu'à l'os du croupion.

Était-il fou, comme le prétendait Kahn ? En politique comme ailleurs, l'avenir n'est pas aux personnes trop équilibrées. J'ai toujours fait mienne une formule de Jean Serisé, un ancien mendésiste qui fut l'un des architectes de notre comptabilité nationale avant de devenir l'éminence grise de Valéry Giscard d'Estaing. Il avait expliqué ainsi la politique à Sylvie Pierre-Brossolette qui, dans les années 1970, faisait ses premiers pas de journaliste : « Tous ceux qui briguent ou exercent les plus hautes fonctions sont fous. Mais il y a trois sortes de fous. Les "pas assez fous" qui n'y arrivent pas. Les "trop fous" qui échouent toujours. Il n'y a que les "juste assez fous" qui réussissent. Mais, ne l'oubliez jamais, eux aussi, ils sont fous ! »

Cette campagne sur sa « folie » me rendait Sarkozy plus sympathique encore. Je crois n'avoir jamais rien eu à voir avec ces dindons qui, dès qu'ils ont fini de tartiner de la copie dans leur organe de presse, courent se mirer dans le plumage des puissants en jouant les conseilleurs. Chacun son métier, on n'a pas gardé les cochons ensemble. Mais j'entrai, soudain, dans cette catégorie quand, transgressant toutes les règles que je m'étais fixées en quarante ans de journalisme, j'allai apporter à Sarkozy mes préconisations pour sa campagne :

« Il faut que tu incarnes la France jusqu'à la moelle. Pour ça, il y a un moyen : se faire photographier sans arrêt devant les grands monuments français, des symboles de notre identité et de l'Histoire. C'est Reagan qui m'a filé le truc. »

Honte à moi. Je n'ose imaginer ce que penseront mes amis journalistes, les Kahn ou les Joffrin, quand il liront ces lignes, mais j'étais devenu, l'espace d'un instant, un affidé pathétique et ridicule. Un sous-Séguéla. Dès qu'il entendit le nom de Reagan, quelque chose s'alluma dans le regard de Sarkozy. Il baissa un peu la tête, en signe de concentration.

« Pendant la campagne des primaires dans le New Hampshire, en 1980, continuai-je, Ronald Reagan m'avait expliqué comment il gagnerait l'élection présidentielle. En se montrant sans cesse devant, ou à côté de quelque chose qui représentait l'Amérique ou la région qu'il visitait. La bannière étoilée, la maison d'une figure historique, un arbre multicentenaire, une statue, n'importe quoi qui pouvait redonner de la fierté à ses concitoyens. De la sorte, disait-il, je retiendrai leur attention et, en plus, à force de me frotter à tous ces symboles, de m'en imprégner, je finirai par *être* l'Amérique. Eh bien, toi, il faut que tu sois la France. »

J'observai un silence, pour ménager mon effet, puis :

« Je ne te conseille pas les deux monuments les plus visités du pays, la tour Eiffel et le château de Versailles : personne ne comprendrait, mais je pense que tu devrais t'afficher très vite dans le joyau de notre patrimoine : le mont Saint-Michel. »

C'est ce qu'il a fait quelques jours plus tard.

12

Le doigt d'honneur
du Fouquet's

« L'argent n'a pas d'odeur quand c'est celui
des autres. »

Angelus MERINDOLUS

Le 6 mai 2007, Nicolas Sarkozy était à peine
élu qu'il tombait le masque en faisant un doigt
d'honneur aux Français qui avaient commis
l'erreur de le croire. Comme beaucoup d'entre
eux, je me sentis trahi quand j'appris, ce soir-là,
que le président élu donnait au Fouquet's, le restaurant des Champs-Élysées, une réception où
avaient été convoquées presque toutes les grosses
fortunes de France.

Qu'il ait éprouvé l'envie de fêter sa victoire avec
de vieilles relations comme Johnny Hallyday,
Richard Virenque, Arthur, l'animateur de télévision, ou Patrick Balkany, député-maire de
Levallois, et son épouse, libre à lui, on peut le
comprendre, même si certaines sont loin d'incarner – pardonnez cet euphémisme – l'élégance, la
rigueur et l'esprit français.

C'est la liste des riches présents, ce soir-là, qui
est proprement stupéfiante : Bernard Arnault,
président de LVMH, Vincent Bolloré, président
du groupe Bolloré, Martin Bouygues, président
de Bouygues, Serge Dassault, président de Das-

sault, Antoine Bernheim, président de Generali, Albert Frère, première fortune belge, Dominique Desseigne, président du Groupe Barrière, Paul Desmarais, milliardaire canadien, Henri Proglio, président de Veolia, etc. Le *Who's Who* de l'argent.

Il flottait dans l'air des remugles de trahison. Il n'y avait pas si longtemps, Sarkozy avait laissé entendre qu'après son élection, il irait se recueillir dans une abbaye. Pipeau. Je venais de comprendre qu'il était incapable de recueillement. Il avait baissé le masque pour montrer le visage de la jouissance et de l'affairisme.

Selon Suétone, quand son fils Titus reprocha à l'empereur Vespasien d'avoir taxé l'urine, celui-ci lui mit sous le nez l'argent que l'impôt lui avait rapporté et lui demanda s'il était « incommodé par l'odeur ». D'où la célèbre formule attribuée à l'homme qui aurait inventé les vespasiennes : « L'argent n'a pas d'odeur. »

L'argent a pourtant une mauvaise odeur et, devant le spectacle du Fouquet's, il fallait être paralytique pour résister à l'envie irrépressible de se boucher le nez.

Voilà bien la faute originelle de la République sarkozyenne : s'être laissé marquer, dès son avènement, par le fer rouge de la Ploutocratie. Les donateurs de l'UMP, les copains de la jet-set, les frères de la haute, les goinfres du CAC 40, les adorateurs de saint Frusquin, tous sont là pour dire leur joie, le verre de champagne à la main. À peine élu, c'est à eux que Sarkozy a tenu à rendre hommage, toutes affaires cessantes, avec une ingénuité obscène et bravache.

Il sent bien qu'il y a quelque chose qui cloche. Après avoir dédié sa victoire à Charlotte, la femme de Laurent Solly, morte quelque temps plus tôt d'un cancer foudroyant, il se met subitement, dans une scène surréaliste, à parler des Français : « C'est un grand peuple qu'il faut respecter. On n'a pas le droit de le mépriser. » Mais n'est-il pas à cet instant précis en train de lui montrer qu'il le méprise ?

L'histoire officielle du sarkozysme voudrait que cette impardonnable faute de goût du Fouquet's fût imputable à Cécilia. Elle a passé la journée claquemurée en robe de chambre dans son meublé de Neuilly, puis à l'hôtel. Trop de pressions, de confusion des sentiments. C'est pourquoi elle n'est pas allée voter. Elle ne sortira de sa retraite que tard dans la nuit pour rejoindre son mari et le suivre place de la Concorde, sur une estrade, avec Enrico Macias et Mireille Mathieu, devant la foule en liesse.

Si elle ne l'a pas établie elle-même, il ne fait aucun doute qu'elle a jeté un œil sur la liste des invités du Fouquet's. La preuve, c'est qu'on ne trouvera dedans aucun des sarkozystes historiques de la garde noire. Pas même Goudard qui, pourtant, n'est pas pour rien dans la victoire. Apparemment, elle a décidé de les éradiquer tous.

C'est si vrai que les mêmes sarkozystes historiques seront presque tous exclus de la cérémonie de passation de pouvoir, quelques jours plus tard. Maintenant que leur héros est arrivé à l'Élysée, ils sont bons pour le monument aux morts et les poubelles de l'Histoire. Seul Goudard recevra une invitation, mais par motard, deux heures auparavant.

Cécilia ne jure finalement que par Claude Guéant qui, pendant sa fugue américaine, continuait de faire mettre des fleurs sur la table basse de son bureau vide et qui l'avait accueillie à son retour avec les yeux embués de larmes. Des autres, elle ne veut plus entendre parler. Et, à leur grand dam, elle semble revenue pour de bon.

Le président lui passe tous ses caprices. Alors qu'il avait réservé quelques nuits à l'hôtel Casa Rossa à Porto-Vecchio, en Corse, pour que leur couple se retrouve après la victoire, elle accepte l'invitation de Vincent Bolloré qui met son yacht au mouillage, à Malte, à la disposition des Sarkozy. Que Vincent Bolloré soit le pire ennemi de Martin Bouygues, le meilleur ami de son mari, peu lui chaut, au contraire. Elle est en froid avec Bouygues qui n'a pas apprécié son escapade américaine, et ne s'en est pas caché.

Le pouvoir et ses ors, ce n'est apparemment pas son fort. Le jour de l'intronisation, elle a un regard de biche affolée quand elle dit à Martin Bouygues, Alain Minc et Jean d'Ormesson : « Qu'est-ce que je vais faire ? Le chef du protocole m'interdit de garder les enfants avec moi. » Alors, les autres en chœur : « Fais comme tu veux. C'est toi la patronne. »

Pendant les premières semaines du quinquennat, elle fait cependant la pluie et le beau temps. Elle semble même décidée, devant toutes les attentions de son mari, à lui donner à nouveau sa chance et à remettre le couvert. Après qu'elle a obtenu, avec Claude Guéant, la libération d'infirmières bulgares que le régime libyen avait condamnées à mort, sous prétexte qu'elles auraient inoculé le sida à des malades, *Le Nouvel Observateur* publie une enquête, informée aux meilleures sources, où il apparaît que Cécilia est devenue l'un des éléments clés du dispositif sarkozyste[1]. « Il y a aujourd'hui une "Cécilia

1. *Le Nouvel Observateur*, 9 août 2007.

Connection" », note Carole Barjon, qui raconte la First Lady dans ses œuvres, avant de conclure ainsi son article :

« Pour l'heure, elle s'attache à l'essentiel : faire prendre des vacances à son mari. Des vraies. Depuis son installation à l'Élysée, l'hyper-président est sur tous les fronts. Mais en semaine seulement. Il se ménage des pauses le week-end. Et, il le lui a promis, il va se mettre au vert aux États-Unis pendant deux semaines en août. C'est aussi à ces petits détails que l'on mesure l'influence d'une femme. »

Elle a prévu de passer ses vacances sur la côte Est avec ses deux meilleures amies : Mathilde Agostinelli, l'attachée de presse de Prada, et Agnès Cromback, la patronne de Tiffany. Avec elles, loin du tumulte, les Sarkozy pourront finir de reconstruire leur couple qui, apparemment, va mieux.

Mais souvent, en amour comme dans la vie, c'est quand on croit que tout va s'arranger que le destin en décide autrement : au retour de leurs vacances américaines, le divorce est en marche ; rien ne l'arrêtera plus.

13

« La rancune à la rivière »

> « Une chose dont vous vous souviendrez toujours, c'est la fois où vous avez pardonné et oublié. »
>
> Tristan BERNARD

La haine, c'est comme l'amour, elle est éternelle tant qu'elle dure. Chez Sarkozy, elle ne dure pas. Enfin, pas toujours. La « bien-pensance » passe à côté du personnage quand elle le décrit comme un histrion survolté et lunatique, à couteaux tirés avec la moitié de l'humanité.

Sans doute Sarkozy peut-il ressembler, parfois, à cette caricature, mais, pour prendre une expression rendue célèbre par Valéry Giscard d'Estaing, il est capable de jeter lui aussi « la rancune à la rivière ». Pour preuve, dans le premier gouvernement Fillon, il a installé aux postes clés plusieurs créatures ou figures du chiraquisme comme Alain Juppé (Écologie), Xavier Bertrand (Travail), Valérie Pécresse (Enseignement supérieur) ou Christine Lagarde (Économie et Finances).

On n'ira pas jusqu'à résumer son comportement par la célèbre formule de Napoléon : « Un homme, véritablement homme, ne hait point : sa colère et sa mauvaise humeur ne vont pas au-delà de la minute. » Chez Sarkozy, elles vont quand même bien au-delà. Mais elles ne durent jamais très longtemps.

Cet homme est ouvert à tout vent. Il peut changer d'idées, d'amis et d'alliances comme de chemise. Rien ne le retient jamais. Surtout pas le ressentiment qui est à géométrie variable, en fonction de ses intérêts du moment. De ce point de vue, sa gestion du dossier Chirac est un cas d'école.

Ces deux-là se ressemblent beaucoup, même s'ils ne l'admettront jamais. Le même opportunisme forcené. La même conviction que la politique peut tout. La même foi dans la croissance économique qui balaie tout, les déficits et l'endettement public. Ils ont cependant un rapport névrotique. Chirac a toujours soupçonné Sarkozy, alors ministre du Budget de Balladur, d'avoir balancé à la presse les principales affaires qui ont terni son règne. Quant à Sarkozy, il n'a jamais douté que Chirac ait été mêlé, de près ou de loin, au complot d'État qui avait introduit son nom dans les faux fichiers de Clearstream.

Le 4 septembre 2006, à neuf heures du matin, quand Nicolas Sarkozy, ministre de l'Intérieur, est reçu à l'Élysée, le chef de l'État est de fort méchante humeur : Jacques Chirac a de plus en plus de mal à cacher les sentiments que lui inspire le « nabot » dont il ne supporte plus la popularité ni les foucades.

Il a ainsi repris à son compte le surnom inventé par son Premier ministre, Dominique de Villepin, qui bouffe du Sarkozy matin, midi et soir, avec une fébrilité compulsive et déclamatoire. Le président ne souffre pas l'idée que l'autre puisse s'asseoir, un jour, dans son fauteuil élyséen.

« Tu es en train d'oublier le second tour, dit-il tout à trac à son ministre de l'Intérieur. Tu sais, il n'y a pas que le premier tour, dans une élection.

— Pardon ?

« Tu sais très bien ce que je veux dire. Tu fais une campagne de premier tour, bien trop à droite. Il faudrait que tu songes aussi au second tour. Au temps du rassemblement. »

Le ton monte tout de suite entre les deux hommes qui ont un rapport si étrange, mélange de haine et de fascination, qu'accentue sans doute le tutoiement paternel de Chirac à Sarkozy qui lui répond par un vouvoiement prétendument respectueux.

« Tu n'es pas encore au niveau, dit Chirac. Mais ton plus gros problème, c'est que tu ne t'intéresses pas assez à la politique étrangère.

— C'est faux. Je voyage.

— J'ai remarqué que tu es toujours très distrait pendant les communications du ministre des Affaires étrangères.

— C'est vrai.

— Philippe Douste-Blazy n'est peut-être pas un très grand ministre, mais c'est quelqu'un d'intelligent. Ce qu'il raconte est toujours très intéressant. Tu devrais écouter. »

Depuis des années, Nicolas Sarkozy s'est construit contre Jacques Chirac qui, à ses yeux, incarne tout ce qu'il déteste en politique, notamment le cynisme et la pusillanimité. Sans doute n'apprécie-t-il pas non plus son « humanisme », son radical-socialisme tranquille. Pour lui, c'est un « roi fainéant », une comparaison qui paraît de plus en plus justifiée, tant le président se laisse aller, ces derniers temps. Chirac s'est mis en mode « veille » et gouverne à petit feu. Il n'a pas abdiqué, non, mais il est parti, du moins moralement, ne laissant ici-bas qu'une carcasse empesée depuis son AVC. Certes, elle remplit la fonction et peut faire illusion. Mais derrière, il n'y a qu'un grand vide et, surtout, beaucoup de mélancolie.

Il ne désespère pourtant pas de se présenter une troisième fois. Dieu sait qui lui a mis cette idée saugrenue en tête, sa fille Claude ou un de ces courtisans mielleux et passe-muraille, qui prolifèrent à l'Élysée, comme dans toutes les fins de règne. En tout cas, Chirac joue avec cette perspective.

Il sait qu'il ne peut plus compter sur Dominique de Villepin, qui se prépare pour les premiers rôles. Il se rabattrait bien sur Jean-Louis Borloo, son ministre du Travail, pour chauffer la place et jouer le boute-en-train : voilà un homme qui occuperait bien l'espace politique du chiraquisme, le temps que le président sortant décide de se lancer à nouveau. Encore que Jacques Chirac est entré dans cet âge de la vie où l'on s'intéresse de moins en moins aux choses, à peine à soi-même.

Sarkozy sait bien ce qu'il a en tête et, un mois plus tard, il s'en ouvre à lui :

« Votre seule chance, c'est que je sois officiellement candidat en janvier et que je m'écroule en février : vous pourriez alors vous présenter en mars.

— Il ne faut pas que tu te déclares en janvier. C'est trop tôt.

— Ne rêvez pas. Ça fait quatre ans et demi que tout le monde dit que je vais m'écrouler incessamment sous peu, ce qui finira bien par arriver un jour. J'attends toujours. Franchement, si vous y alliez une troisième fois et si ça marchait encore, ce serait un miracle ! »

C'est l'histoire du jeune et du vieux coq, tant il est vrai que les lois de la politique sont les mêmes que dans les basses-cours.

Entre deux échanges acides avec le président, Sarkozy a cependant montré, pendant la période précédant l'élection, qu'il était rompu à l'art du compromis. Il a ainsi tout fait pour se rabibocher avec Claude Chirac.

Depuis longtemps, il a constaté que Claude était la seule personne qui comptait, avec Martin, le petit-fils, dans le cœur du président. Il fallait donc la circonvenir. Après avoir été très proches, ils étaient fâchés à mort. La fille du chef de l'État reprochait au maire de Neuilly, entre autres griefs, d'avoir combattu son père, avec une rare violence, pendant la campagne présidentielle de 1995. Son père qui, à ses yeux, avait « fait » Sarkozy.

Quand Claude l'a appelé pour l'inviter à dîner, après la première escapade de Cécilia, il avait d'abord refusé sèchement avant de la recontacter le lendemain pour lui proposer de se retrouver avec les enfants au ministère de l'Intérieur. Ils avaient parlé de la vie, de l'amour, du passé, et la soirée s'était terminée avec une partie de football dans le jardin. Sarkozy avait conquis Martin.

Quelque temps plus tard, le 30 mai 2006 très précisément, Sarkozy annonce à Chirac qu'il a trouvé quelque chose pour Claude :

« Si je suis élu, je la nommerai consul général à Los Angeles. Elle a toujours rêvé de vivre en Californie, non ?

— Mais tu n'y arriveras jamais ! Tout le Quai d'Orsay s'y opposera !

— Je vais me gêner ! Je nommerai des tas de diplomates qui ne viendront pas du sérail. »

Auparavant, il avait proposé à Alain Juppé de prendre la présidence par intérim de l'UMP après son intronisation comme candidat, prévue en janvier 2007. « Il a été mon rival, je l'ai battu, il n'en revenait pas, dira Sarkozy, mais avec des gestes comme celui-là, je veux montrer que je suis prêt à gouverner avec tout le monde, sans exclusive. »

Il est même prêt à voir tout le monde puisque, après son élection, il continuera de déjeuner régulièrement avec Jacques Chirac. Même s'ils n'ont plus rien à se dire...

14

Le temps des trophées

« L'immoralité, c'est la révolte contre un
état de chose dont on voit la duperie. »

Ernest RENAN

Un jour de juin 2007, Dominique Strauss-Kahn
appelle Alain Minc. Deux vieux amis qui, depuis
plusieurs décennies, se retrouvent régulièrement
à dîner. Tel est Paris : une grande basse-cour avec
des volailles de toutes sortes, mais un seul pou-
lailler pour tout le monde, la gauche comme la
droite, pourvu que l'on soit de la haute. Autrement dit, de l'élite, du microcosme, de « l'établissement », du Tout-État, il y a tant de mots pour
dire la même chose. Même s'ils n'étaient pas dans
le même camp pendant la présidentielle, les deux
hommes ont entre eux des liens tissés depuis si
longtemps qu'ils ne se briseront jamais, entre
deux petites fâcheries.

Dominique Strauss-Kahn est sur un gros coup.
Il annonce à Alain Minc que Jean-Claude Juncker,
le président luxembourgeois de l'Eurogroupe, lui
a dit qu'il pourrait très bien décrocher la direction
générale du Fonds monétaire international, mais
à une condition : que Nicolas Sarkozy le sou-
tienne. « Tu crois qu'il pourrait me donner le
coup de pouce dont j'ai besoin ? » demande-t-il.

Minc appelle Sarkozy qui lui répond : « Je
réfléchis et je te rappelle dans cinq minutes. » En

fait, il ne réfléchit pas, mais vérifie que Strauss-Kahn a dit vrai et qu'il est bien en mesure d'enlever la direction générale du FMI.

La chose faite, il rappelle Minc :

« C'est bon, on y va.

— Tu es sûr que tu ne lui mets pas le pied à l'étrier pour 2012 ?

— Non, il ne sera jamais candidat. »

Un silence, puis :

« Mais enfin, il m'a vraiment chié dans les bottes. »

Sarkozy n'a jamais vraiment apprécié Strauss-Kahn qu'il surnomma un moment « Calzone » parce que, expliquait-il, il est, comme cette pizza en forme de chausson, « gros et bouffi d'orgueil ». Il a toujours sur l'estomac la formule de DSK : « Petit président, petit projet, petite politique. » Sans aller jusqu'à demander une lettre d'excuses, sa manie habituelle, il réclame « un petit geste symbolique » pour le motiver.

« Un acte de contrition ? demande Minc.

— En tout cas, quelque chose.

— Quoi ?

— Je ne sais pas, c'est à lui de voir.

— Écoute, tu l'appelles et tu négocies directement avec lui. »

C'est ainsi que le lendemain, au micro de Jean-Pierre Elkabbach, sur Europe 1, Dominique Strauss-Kahn a soutenu la proposition de Nicolas Sarkozy d'un traité simplifié pour remettre l'Union européenne sur les rails, après le fiasco de la réforme constitutionnelle, repoussée par la France lors du référendum de 2005.

« C'est une très bonne idée », déclare en substance DSK qui n'a pas eu à beaucoup se forcer pour le dire puisqu'en effet, c'en était une. Il a fait, comme on dit, le service minimum.

La nomination de DSK à la tête du FMI est emblématique de l'ouverture à gauche dans laquelle s'est lancé Sarkozy après son élection.

Fabius est venu aux nouvelles, le poste l'intéressait, mais le nouveau président l'a tout de suite dissuadé :

« Laisse tomber, tu as trop d'ennemis en Europe, nos partenaires ne soutiendront jamais un homme qui a appelé à voter "non" au référendum de 2005 sur la constitution européenne. »

Exit Fabius.

Longtemps, Sarkozy avait rêvé d'enrôler Hubert Védrine, secrétaire général de l'Élysée sous Mitterrand avant de devenir ministre des Affaires étrangères de Jospin. C'eût été en effet une belle prise de guerre. Mais cet homme compétent, raffiné et pince-sans-rire, ne souhaitait pas franchir le pas. Il demanda dans un premier temps d'avoir sous sa coupe le Quai d'Orsay et les Affaires européennes, ce qui, aux yeux du président, lui aurait permis de s'arroger une sorte d'État dans l'État. Ensuite il multiplia les conditions, façon polie de dire non. Il refusa enfin le ministère de la Justice. Jusqu'à l'explication finale.

« Il n'y a pas d'exemple dans l'Histoire, dit Védrine, que quelqu'un ait basculé de la gauche à la droite et que ça se soit bien passé.

— Mais mon élection change tout ! s'exclame Sarkozy, survolté.

— Allons, dit Védrine, étonné par tant d'emphase, ce n'est quand même pas 1958. »

C'est le temps où, dans son ciel, Nicolas Sarkozy se croit sorti de la cuisse de Jupiter. À Jack Lang qu'il voit pendant cette période et qui l'exhorte de profiter de l'état de grâce pour « faire des choses difficiles et ambitieuses », il répond, étonné : « Mais non, l'état de grâce va continuer. Quand je suis arrivé à l'Intérieur, on m'avait prédit la catastrophe : en le quittant, des années après, j'étais toujours au sommet de la popularité. »

Il n'est pas le premier président élu à penser qu'il va tout changer. La vie, la société, le monde. Mais, comme dirait Jules Renard, il ne faut pas s'inquiéter quand tout va bien et qu'on se laisse griser par ses succès : ça passe.

En attendant, il lui faut se rabattre sur les trophées de moindre calibre et parfois même empaillés, tel Bernard Kouchner, prêt à tout pour accéder à la lumière, courtisan dans l'âme, léger et inconstant, capable de changer d'opinion dans l'instant dès lors que son prince en a changé, hors d'état d'écrire une ligne ni de se concentrer une seconde, convaincu que son emphase et sa grandiloquence feront tout passer, comme ce fut, jusqu'à présent, le cas. Y compris quand il fut établi qu'Omar Bongo, l'ancien président du Gabon, lui avait versé de rondelettes sommes pour des rapports sur le système de santé gabonais. Il est la preuve vivante qu'il faudrait être de gauche pour agir tranquillement, comme la droite plus rance, mais avec bonne conscience, sans les ennuis afférents : se gaver d'argent de régime africain corrompu.

Sans doute Kouchner donne-t-il à Sarkozy l'illusion qu'il est dans la lignée de Mitterrand puisqu'il officia jadis aussi dans cette cour-là, avec la même enflure. Pour le reste, les ministres de l'ouverture sont des grands blessés de la politique, déçus par la gauche qu'ils jugent trop cynique : Éric Besson, Jean-Marie Bockel et Fadela

Amara, une personne vraie et entière, une de celles qui permettront à beaucoup de ne pas désespérer totalement du sarkozysme, même quand il dévalera les pentes de la démagogie.

Cette politique de la main tendue n'a pas été comprise ni appréciée par des éminences du sarkozysme comme Patrick Devedjian, secrétaire général de l'UMP et dauphin du chef de l'État à la présidence du conseil général des Hauts-de-Seine, qui préconisa en souriant une ouverture aux... sarkozystes.

Pour bonne qu'elle soit, la formule dénote, chez un lieutenant historique du nouveau président, une certaine méconnaissance de la vraie nature du sarkozysme, art de la conquête et de la séduction, jusque de ses pires ennemis. Un cagot à la botte ne vaudra jamais autant, pour le président, qu'un adversaire enragé. C'est ainsi qu'il a longtemps harcelé Jean-François Kahn, l'un de ses pires pourfendeurs, pour qu'il lui accorde un déjeuner ou un rendez-vous. Et il n'a pas supporté l'idée que le journaliste-philosophe le lui refuse. La meilleure façon d'intéresser ce galantin toujours en mouvement, c'est de le tacler ou de le combattre, surtout pas de le servir.

C'est pourquoi rien n'est jamais acquis dans sa galaxie : ça tourne et ça valse, il faut tout le temps renouveler le cheptel. Un autre sarkozyste historique, Yves Jégo, député de Seine-et-Marne, m'a, un jour, décrit ainsi le système :

« J'en ai vu défiler, des gens. À la fin du siècle dernier, on n'était pas plus de trois, autour de lui. Quelque temps plus tard, on s'est retrouvé à quinze. Au fil des ans, ça n'était jamais les mêmes, ça changeait tout le temps. Si la géographie de la Sarkozie n'arrête pas de bouger, c'est que notre homme n'a pas de bande. »

Bonaparte disait : « Donnez-moi dix hommes et je tiens l'État. » Mitterrand : « Il me faut trente hommes et je prendrai la France. » Sarkozy donnerait un chiffre encore supérieur, mais, contrairement aux deux autres, ce ne seront jamais les mêmes : à ses yeux, un bon collaborateur doit toujours être en sursis pour donner le meilleur de lui-même.

« Avec lui, dit encore Yves Jégo, quand on a accédé au cercle restreint, dans le saint des saints, on n'y reste jamais à vie. C'est très perturbant et très déstabilisateur, mais c'est une liberté qu'il se donne. Il peut reprendre sa confiance à tout moment, sans préavis. Quand on a compris ça, on a son manuel de survie pour la Sarkozie. »

C'est ce qui explique, ouverture ou pas, la concurrence si féroce, à la Cour : les places y sont chères et jamais sûres.

15

La Cour

« Quand dans un royaume, il y a plus
d'avantage à faire sa cour qu'à faire son
devoir, tout est perdu »

MONTESQUIEU

La Cour est de toutes les époques, mais celle
de Sarkozy a retrouvé l'esprit, sinon le faste, du
Grand Siècle de Louis XIV que raconte avec drô-
lerie le duc de Saint-Simon dans ses *Mémoires*,
monument de la littérature française, qui semble
avoir été écrit il y a peu et dont l'encre paraît
encore à peine sèche.

Rien de nouveau sous le soleil. Chez le duc, il
suffit de changer les noms et les temps, la comédie humaine continue. À propos de Louis XIV, il
écrit ainsi : « Ses ministres, ses généraux, ses maî-
tresses, ses courtisans s'aperçurent bientôt, après
qu'il fut le maître, de son faible plutôt que de son
goût pour la gloire. Ils le louèrent à l'envi et le
gâtèrent. Les louanges, disons mieux, la flatterie
lui plaisaient à tel point que les plus grossières
étaient bien reçues, les plus basses encore mieux
savourées. Ce n'était que par là qu'on s'approchait
de lui […]. C'est ce qui donna tant d'autorité à
ses ministres, par les occasions habituelles qu'ils
avaient de l'excuser, surtout de lui attribuer
toutes choses et de les savoir par lui. La souplesse,
la bassesse, l'air admirant, dépendant, rampant,

plus que tout, l'air néant sinon par lui, étaient les uniques voies de lui plaire. »

On se pince, tant notre présent quotidien semble être du passé qui recommence. Au détail près qu'il y a chez Louis XIV un trait de caractère qu'on ne retrouvera pas chez Sarkozy. Écoutons Saint-Simon à propos du Grand Roi :

« Jamais il ne lui échappe de dire rien de désobligeant à personne et, s'il avait à reprendre, à réprimander ou à corriger, ce qui était fort rare, c'était toujours avec un air plus ou moins de bonté, presque jamais avec sécheresse, jamais avec colère… »

Pour le reste, il y a, entre les deux gouvernants, la même obsession vétilleuse de la broutille, de l'infiniment petit. Écoutons encore Saint-Simon :

« Son esprit naturellement porté au petit se plut en toutes sortes de détails. Il entra sans cesse dans les derniers sur les troupes : habillements, armements, évolution, exercices, discipline, en un mot toutes sortes de bas détails. Il ne s'en occupait pas moins sur ses bâtiments, sa maison civile, ses extraordinaires de bouche ; il croyait toujours apprendre quelque chose à ceux qui en ces genres-là en savaient le plus, et de sa part recevaient en novices des leçons qu'ils savaient par cœur il y avait longtemps. Ces pertes de temps, qui paraissaient au Roi avec tout le mérite d'une application continuelle, étaient le triomphe de ses ministres qui, avec un peu d'art et d'expérience à le tourner, faisaient venir comme de lui ce qu'ils voulaient eux-mêmes, et qui conduisaient le grand selon leurs vues, et trop souvent selon leur intérêt, tandis qu'ils s'applaudissaient de le voir se noyer dans ces détails. »

La vanité et la bouffonnerie font souvent la paire. C'est ainsi que Nicolas Sarkozy explique sans cesse leur métier aux industriels, aux producteurs de cinéma ou aux patrons de presse. Prière d'opiner. Génie sans frontière, il connaît la solution magique pour tous. Si on l'écoutait, tout irait tellement mieux. Même les trains arriveraient à l'heure.

Je l'ai ainsi entendu m'expliquer avec l'autorité de la compétence, et sans rire, comment *Le Point* pouvait gagner des dizaines de milliers de lecteurs : en devenant sa feuille électorale, parbleu !

Quand Sarkozy se trompe, ce qui peut arriver, personne ne se hasardera à le contredire ni même à corriger son erreur. Tels sont les effets de la République monarchique. Un jour, lors d'un conseil de défense où est abordée la question des ventes de centrales nucléaires civiles à l'étranger, François Fillon évoque le casse-tête jordanien :

« Je me demande s'il est très judicieux d'installer une centrale nucléaire civile en Jordanie, tout près de la frontière avec Israël.

— Allons, objecte Sarkozy. S'il y a un problème, on peut très bien désactiver les centrales à distance.

— Ah bon ! » fait le Premier ministre avec ironie.

Sur quoi, le président, piqué, se tourne vers le chef d'état-major des armées :

« N'est-ce pas qu'on peut désactiver les centrales nucléaires à distance ? »

Les yeux rivés sur ses dossiers, l'amiral n'osera pas objecter. Il baissera la tête en la hochant, de sorte qu'on ne puisse bien comprendre sa réponse. Le président a toujours raison, même quand il a tort.

Sous Nicolas Ier, il y a des tas de péripéties de ce genre que narre chaque année l'écrivain Patrick Rambaud dans le nouveau tome de son inénarrable série, *Chroniques du règne de Nicolas Ier*[1]. Elle permet de suivre la cote de chacun, les bonnes grâces ou les destitutions en cours.

Cet homme s'encroit, comme on dit à Marseille.

Contrairement aux rois du temps jadis, il manque à Sarkozy le bouffon qui, avec ses vannes, le ramènerait sur terre. C'est pourquoi le chef de l'État semble parfois planer à une altitude d'où on ne peut plus rien voir, à peine quelques formes minuscules et prosternées, très loin au-dessous.

Il ne voit en tout cas même plus ceux qui l'ont fait roi, les gens de peu qui, pense-t-il, ne lui sont plus d'aucune utilité, alors que Louis XIV, si l'on en croit Saint-Simon, « traitait bien ses valets », lui. C'était même « parmi eux qu'il se sentait le plus à son aise, et qu'il se communiquait le plus familièrement. »

Ce temps-là a changé.

---

1. Grasset.

16

Carla

« Le remariage est le triomphe de l'espérance sur l'expérience. »

Samuel JOHNSON

Elle avance toujours entre deux haies de photographes, même quand elle déambule dans sa salle de bains. Elle arbore partout le même grand sourire qu'éclairent des dents parfaites, y compris quand elle se rend chez son psychanalyste. Et qu'importe s'il n'y a pas un chat dans la rue où elle marche : elle saluera la foule d'un petit geste gracieux, à peine perceptible, qu'accompagnera une discrète révérence.

En relisant ces lignes, j'ai un peu honte. Encore un bel exemple de mauvaise foi journalistique, dirait Sarkozy. À juste titre. Carla, née Bruni Tedeschi, vaut quand même bien mieux que la femme égotique et artificielle que je viens de décrire. Elle apaise son mari, elle l'initie à la culture. Il n'y a pas si longtemps, il me semble que Nicolas Sarkozy n'avait lu que deux livres, *Voyage au bout de la nuit* de Louis-Ferdinand Céline et *Belle du Seigneur* d'Albert Cohen. Il en parlait fort bien et pouvait en réciter, grâce à son hypermnésie, des passages entiers. Pour ce qui est de la littérature contemporaine, je croyais que ses connaissances s'arrêtaient à… Marc Lévy dont un jour, avec Cécilia, il m'avait conseillé de lire, de toute urgence, le dernier roman. Passons.

Tous ses prédécesseurs avaient été, chacun dans son domaine, des puits de culture. Y compris Jacques Chirac qui aimait tant jouer, par pudeur ou provocation, les ignorants rustiques. Un dimanche de l'été 2004, je me souviens, il me téléphona pour décommander un rendez-vous et, après m'avoir interrogé sur le livre que j'étais en train de préparer – un conte philosophique se déroulant au VIe siècle avant J.-C. –, improvisa une époustouflante causerie sur Zarathoustra. Les Mages, les Temples du Feu, l'Esprit du Mal. Il était incollable.

Avec Sarkozy, rien de tel n'eût été possible jusqu'alors. On aurait dit que sa culture, si on pouvait même utiliser ce mot, n'était jamais que télévisuelle, et encore, elle ne s'était pas abreuvée, on l'a compris, aux sources d'Arte.

Depuis que Carla est entrée dans sa vie, il s'est ouvert à des horizons qu'il n'avait pas encore approchés. Par exemple Dreyer, Lubitsch ou Pasolini, dont les Sarkozy ont visité studieusement la filmographie. Désormais, il ne fait plus figure d'enfant perdu, ressassant toujours son Céline ou son Cohen, quand, lors d'un repas officiel, la conversation arrive sur la culture.

Carla lui apprend aussi les bonnes manières et le réconcilie avec son passé. Grâce à elle, plus de fatwas chez les Sarkozy. Ni entre les frères ni avec personne. Elle a renoué les fils entre Cécilia et son mari, qu'elle a fait se rencontrer à nouveau. Marie-Dominique, la première épouse, mère des deux fils de Nicolas, est désormais conviée aux réunions de famille d'où elle était proscrite. En somme, sa nouvelle épouse lui a fait du bien, comme si elle avait été formée pour ce rôle de présidente.

Quand Nicolas Sarkozy fait sa connaissance, Carla est, il est vrai, une reine en quête de royaume. Fille de famille de la haute italienne, elle a du bien et de la branche. Elle s'est néanmoins faite elle-même en devenant l'un des grands mannequins des années quatre-vingt et quatre-vingt-dix, au siècle· dernier, avant de se reconvertir dans la chanson. Avec ça, futée, aguerrie et bien élevée. Bonne fille aussi. Chez elle, aucune aigreur ni méchanceté. Même si, quand on aime tout le monde, on n'aime personne, on lui donnerait le bon Dieu sans confession. Elle a toutes les qualités. Il ne lui manque qu'un mari.

C'est Jacques Séguéla, ami de tout le monde en général et des deux en particulier, qui a joué les entremetteurs en invitant à dîner, un soir de novembre 2007, Nicolas Sarkozy et Carla Bruni. À cette époque-là, le chef de l'État, divorcé de Cécilia, a besoin de se changer les idées. Généralement, il compte sur son complice Pierre Charon pour organiser des soirées où l'on rit. Pour une fois, il s'est rabattu sur Séguéla auquel était déjà dévolu le rôle de bouffon sous Mitterrand dont il fut le publicitaire éclairé pendant la campagne présidentielle de 1981.

Excellent publicitaire, de lui-même en particulier, Jacques Séguéla est un étrange mélange de vulgarité abyssale, d'avidité au gain et de fulgurances. Il ne faut pas le réduire à la trivialité balourde et canaille qui l'amena à déclarer un jour, alors qu'il avait lui aussi oublié son surmoi : « Comment peut-on reprocher à un président d'avoir une Rolex ? Tout le monde a une Rolex. Si à cinquante ans on n'a pas une Rolex, on a quand même raté sa vie. » C'est un personnage inventif qui a souvent une idée d'avance. C'est aussi un gros malin qui connaît ses intérêts et qui cherche à exister encore sous Sarkozy après avoir longtemps joué Villepin.

À Paris, dans ce genre de dîner mondain, il faut toujours un académicien, mais Séguéla, on l'a compris, n'a pas de manières. Il s'est contenté d'inviter un philosophe à succès : en l'espèce, Luc Ferry, une vieille connaissance de Carla, accompagné de son épouse, une femme étonnante, reconvertie dans le marché du sac à main. La convive idéale.

Jacques Séguéla a raconté dans un livre[1] cette soirée où Nicolas Sarkozy a dit à Carla Bruni en la tutoyant tout de suite : « Nous faisons le même métier : séduire avec les mots. Toi en chansons, moi en discours. » Ensuite, après qu'elle eut chanté *Tout le monde est une drôle de personne*, le président lui a soufflé à l'oreille quelques mots qu'il révélera, le lendemain, à Séguéla : « Carla, es-tu cap, à cet instant, devant tout le monde, de m'embrasser sur la bouche ? » Auparavant, sans que l'on sache encore bien si c'était du lard ou du cochon, il avait annoncé à la tablée leurs fiançailles avec celle qui venait de lui être présentée : « Nous ferons mieux que Marilyn et Kennedy. »

Quelques années plus tard, lors d'un dîner avec Michel Houellebecq[2], Carla confiera qu'elle lui a dit, ce soir-là : « Tu ne sais pas à qui tu as affaire. » « Qu'est-ce qu'il est irrésistible ! ajoutera-t-elle. La première fois que je l'ai vu, j'ai eu envie qu'il me plaque contre un mur ! »

---

1. *Autobiographie non autorisée*, Plon, 2009.
2. Le 14 novembre 2010.

À la fin de la soirée, Carla Bruni demande à Nicolas Sarkozy s'il a « une voiture pour la raccompagner ». « C'est possible », répond le chef de l'État avec un sourire. Pendant le trajet, il notera le numéro de téléphone de la chanteuse mais quand son véhicule s'arrêtera devant le domicile de celle-ci, il ne lui proposera pas de monter chez elle prendre un dernier verre, non, il est trop amoureux. Le feu est mis.

Le feu prendra si bien qu'il ne pourra rester longtemps caché. Avec un mélange de naïveté, de narcissisme et d'indélicatesse de « m'as-tu-vu », Sarkozy a même décidé de partager cet amour avec le monde entier et les photos volées de paparazzi succèdent aux clichés officiels pris au demeurant par les mêmes. Un tournis de caresses, de baisers, de regards de merlan frit, qui culminera avec cette annonce officielle en pleine conférence de presse, le 8 janvier 2008 : « Carla, c'est du sérieux. »

Le 17 janvier 2008, lors d'un bref tête-à-tête, je lui fais remarquer que le pays se fichait pas mal de savoir s'il était heureux ou pas. Chacun ses problèmes. Les Français voulaient d'abord des résultats, des bons chiffres sur le chômage et le pouvoir d'achat. Les images de sa béatitude affichée, lors de son voyage en Égypte ou ailleurs, avaient quelque chose d'obscène ; elles ne pouvaient que lui nuire.

« Je n'y suis pour rien, proteste-t-il. Ce sont les paparazzi qui nous pourchassent, Carla et moi. On prend un petit-déjeuner sur la terrasse d'un hôtel, clic-clac, ils sont là. On marche dans la rue, encore clic-clac. C'est de la persécution ! Je veux juste être vrai, tu comprends ça ? La seule chose impardonnable en politique, désormais, c'est le mensonge. Or, le type tout seul dans son palais vide, je ne peux pas, c'est au-dessus de mes forces. J'ai besoin de vivre et il se trouve que je suis amoureux, je ne vais quand même pas me cacher. Si on ne me reprochait pas ça, n'importe comment, on me critiquerait pour autre chose. Pendant des mois, on m'a expliqué que tous mes problèmes venaient de Cécilia. Maintenant on dit qu'ils viennent de Carla. Tout ça, ce sont des conneries répandues par des journalistes minables, aigris et nuls ! »

Il galèje, mais je ne peux le lui dire. Il s'est levé : il faut qu'il parte, il a un rendez-vous. Juste avant de prendre congé, il me fait admirer sa nouvelle montre, une Philippe Patek, offerte par Carla : « Elle est belle, hein qu'elle est belle ? »

Je songe alors qu'un homme amoureux en vaut deux. Carla Bruni, c'était sans doute ce qui pouvait lui arriver de mieux. Une bonne nouvelle pour les Français qui ont encore plus de quatre ans à tirer avec leur président. Mais il n'a pas su gérer cette idylle. Il n'a pas pu s'empêcher de la médiatiser, ou plus exactement de l'hypermédiatiser.

C'est ainsi que s'est creusé, à cette occasion, un précipice entre Sarkozy et les Français, un précipice d'incompréhension et de ressentiment. Saoulé par ces images qui le transformaient en célébrité grisée par sa propre célébrité, en gibier de presse people, le pays ne supporta pas qu'il fasse son quelqu'un en roulant les épaules et en signifiant subliminalement, comme il le disait alors sans pudeur à ses amis : « T'as vu ma femme comme elle est belle ? »

Il ne faut jamais trop montrer son bonheur ; il rend souvent les gens très malheureux.

17

La tragédie du sarkozyste

> « J'aurai besoin de lui encore un an tout au plus. On presse l'orange et on jette l'écorce. »
>
> Voltaire à Madame Denis,
> lettre du 2 septembre 1751,
> rapportant les propos de
> Frédéric de Prusse à son sujet.

Le 14 juin 2010, pour comprendre la tragédie du sarkozyste, j'ai invité à déjeuner Thierry Mariani, compagnon de la première heure du chef de l'État et alors député UMP du Vaucluse. De loin, il peut impressionner avec sa carrure et sa démarche volontaire de soldat qui part à la guerre en chantant. De près, c'est, à l'époque, un homme cassé au regard humide. Pour un peu, je lui trouverais l'air de chien battu qu'avait Sarkozy après que Cécilia l'eut plaqué.

Mais lui, c'est Sarkozy qui l'a plaqué, trompé et même humilié, avant de le reconquérir par la suite. « Nicolas, me raconte-t-il, je l'ai connu au RPR, en 1976, l'année de mon adhésion et de mes débuts en politique. J'avais dix-huit ans. J'ai tout de suite été emballé. C'était le plus brillant de notre petite bande. Le plus travailleur aussi et le plus organisé. Après ça, je ne l'ai plus quitté. Même quand il a soutenu Balladur en 1994, ce qui, pour moi, n'allait pas de soi. Je l'ai fait par amitié pour lui. Du coup, je suis devenu tricard chez Chirac, mais je m'en fichais, j'étais sarko-zyste et ça me suffisait, vous comprenez, j'attendais mon heure en m'investissant dans mon coin où j'avais arraché à la gauche une mairie, celle de Valréas, puis un canton et, enfin, une circonscription. »

Élu d'une des plus belles circonscriptions de France qui compte, entre autres joyaux, Gigondas et les dentelles de Montmirail, le président des Chorégies d'Orange est un soutier, de la race qui meurt pour vous. Je ne décèle en lui ni méchanceté ni fourberie, mais une infinie loyauté qui a été trahie. En politique, l'amitié est comme une terre aride où l'on sème. Il n'a récolté que des rognures et même pas de rogatons.

À partir de 2002, quand Jacques Chirac a ins-tallé, après sa réélection, Nicolas Sarkozy au ministère de l'Intérieur, Thierry Mariani a cru, le naïf, que son heure approchait : « Pendant cinq ans, Nicolas m'a dit au moins une dizaine de fois : "Quand je serai élu, je créerai un ministère de l'Immigration et c'est à toi que je le confierai." Et il m'annonçait ça en me regardant bien droit dans les yeux. Moi, je n'avais rien demandé et, fran-chement, l'envie ne m'étouffait pas de me retrou-ver dans ce ministère, un truc à la con pour se rendre impopulaire. Après l'élection de Nicolas à la présidence, en 2007, je n'ai plus eu de nouvelles de lui. C'est mon pote Brice qui a été nommé ministre de l'Immigration et ça m'avait paru tout à fait normal. Le plus ancien dans le grade le plus élevé. Quand Éric Besson a pris la suite, alors là, mon sang n'a fait qu'un tour. C'est le député de la circonscription d'à côté, on a plein de dossiers en commun, on s'entend bien mais enfin, en 2006, il est venu à Valréas, dans ma ville, introniser le candidat socialiste contre moi aux législatives en déclarant qu'il fallait que je sois battu parce que je représentais la politique d'immigration de Sarkozy ! Nicolas aurait voulu me faire passer pour un couillon auprès des militants, il ne pouvait trouver mieux. Je me sentais ridiculisé. »

Je repensais à mon dîner à la truffe avec Nicolas Sarkozy, le 24 janvier 2006. Il avait brossé un portrait psychologique de Jacques Chirac, qui semblait n'aimer personne, sauf sa fille Claude, pour le conclure par cette formule :

« Cet homme, c'est de la terre desséchée. »

Nicolas Sarkozy était-il aussi de la « terre desséchée » ? Il est certes plus affectif que Jacques Chirac, ce qui n'est pas difficile, mais pas autant, loin de là, que François Mitterrand, qui avait le culte de l'amitié. La politique est l'un des métiers les plus dangereux qui soit. On risque la mort, symbolique s'entend, à tous les carrefours. La fidélité y est donc bien portée. Elle rassure, elle sécurise.

Or, la gestion humaine des siens par Sarkozy paraît sortir tout droit du capitalisme sauvage du début du siècle dernier, quand la cupidité avait réinventé le servage et qu'il ne fallait rien attendre de personne ni de la loi. Dans cet univers-là, on n'a que la fidélité de ses intérêts, avec de temps en temps quelques bonnes paroles pour calmer les fâcheux et les opportuns.

« Depuis que Nicolas a été élu, poursuit Thierry Mariani, je ne lui ai rien demandé mais j'ai quand même été reçu trois fois, à sa demande. Trois fois. La première fois, il m'a dit : "Thierry, je n'oublierai jamais que tu fais partie des quelques uns qui m'ont soutenu dès le premier jour." La deuxième fois : "Thierry, j'ai été injuste avec toi, après tout ce que tu as fait pour moi, désolé, c'est pas normal, je vais réparer ça." La troisième fois : "Thierry, au prochain remaniement, tu entreras au gouvernement, c'est ton tour, maintenant." »

Au remaniement suivant, Thierry Mariani n'est pas entré au gouvernement et Nicolas Sarkozy n'a même pas daigné lui passer un coup de fil pour lui dire pourquoi, une fois encore, il n'avait pas tenu parole. Mais promettre n'est pas tenir. Surtout à un loyal serviteur.

« Rien qu'un petit coup de fil, soupire le député du Vaucluse, ça m'aurait mis du baume au cœur. Eh bien, non. C'était trop lui demander, il avait mieux à faire. Dans cette République, les premiers ne sont pas les plus fidèles et les plus compétents, non, ce sont les moins sûrs, c'est-à-dire les derniers arrivés, dès lors qu'ils sont médiatiques. Mais c'est logique, me direz-vous, quand on fait la politique de l'adversaire. J'ai toujours pensé que Nicolas était un type sincère et chaleureux, je me demande si je ne me suis pas fait avoir. Il se fiche pas mal de m'avoir fait passer, moi et tant d'autres, pour les cons de l'histoire. Et pourtant, figurez-vous, je l'aime toujours et je serai avec lui jusqu'au bout en souvenir des jours anciens… »

En prenant congé de cet homme blessé qui, pourtant, portait beau, je me disais que, depuis son élection, son obsession donjuanesque de la conquête amenait décidément Nicolas Sarkozy à traiter les grognards de son épopée comme des serpillières juste bonnes à jeter.

Le président a fini par tenir parole. Tard, mais enfin, il l'a tenue. Il a installé Thierry Mariani au secrétariat d'État aux Transports à l'automne 2010. Pour faire de la place dans le gouvernement, il a écarté un autre fidèle, Christian Estrosi, sarkozyste de la première seconde, qui pourtant, de l'avis général, n'avait pas démérité au ministère de l'Industrie. Un « grognard » chasse l'autre.

De retour à temps plein dans sa bonne ville de Nice qu'il a réveillée, Christian Estrosi n'a pas perdu au change. Il reste que les sarkozystes historiques fendent souvent le cœur. Ils sont ostracisés avant d'être piétinés par leur chef, qui semble ne jamais les supporter longtemps.

Après Christian Estrosi, ce sera au tour de Brice Hortefeux, l'ami de plus de trente ans, d'être écarté du ministère de l'Intérieur, trois mois plus tard. Tant il est vrai que le président est plus sévère avec les siens qu'avec les autres.

L'ingratitude, ça peut être une chance pour le politique, le commencement de sa liberté, pour celui qui en est victime. Mais à ce point, quand l'humiliation des siens devient un mode de gouvernement, elle peut conduire vite à la solitude et au tombeau. Il est vrai que les sarkozystes ne sont pas les seuls à être maltraités...

18

Le président Fillon

« Tout vient à point, qui peut attendre. »
RABELAIS

Chez lui, tout respire et inspire l'ennui. Son air sombre. Sa raideur ecclésiastique. Sa mine de premier communiant. Pour un peu, il passerait pour un petit-bourgeois étriqué et propret dont la seule fantaisie serait ses chaussettes qu'il choisit avec, apparemment, bien plus de soin que ses cravates.

Quand il s'assoit et que ses pantalons remontent, dégageant les chaussettes, c'est un festival de couleurs rigolotes. On a beau chercher, on ne lui trouvera pas d'autres extravagances, hormis sa passion pour les voitures de course. Mais sur les pistes, il veille, de surcroît, à ne jamais finir dans les premiers.

Il ne recherche pas la lumière. Il est d'humeur égale. Il ne trompe pas sa femme. Il ne dit pas de mal des gens. Il va régulièrement à la messe. Il lit des livres. Il n'est pas sensible à la flatterie et répond par un sourire pincé ou un haussement des épaules. Il aime l'herbe, les fleurs, les arbres et la rosée du matin.

C'est le président, le vrai : même si la France ne l'a pas élu, lui, François Fillon, veille sur elle avec un mélange présidentiel de recul, de douceur et de fermeté. Sans parler de sa politesse et de sa bienséance. Je ne serais pas étonné d'apprendre un jour qu'il garde sa cravate pour dormir.

Il assure sans jamais perdre son flegme. Sa situation n'est pourtant pas facile. Pendant trois ans et demi, jusqu'au remaniement de novembre 2010, il lui faut assumer, avec calme, une sorte de destitution permanente. Sarkozy qui veut toujours être seul sur la photo, ne lui reconnaît même pas le droit de vivre. Que le Premier ministre ose respirer semble déjà une offense au chef de l'État.

De l'Élysée lui viennent aux oreilles, dès les premières semaines de leur cohabitation, les bons mots du chef de l'État à son propos. S'ils sont souvent apocryphes, quand ils ne sont pas l'œuvre des collaborateurs du président, ils disent bien l'état d'esprit de Sarkozy. Florilège :

« Un croque-mort. »

« On croit qu'il est intelligent et gentil, il n'est ni l'un ni l'autre. »

« En voilà un qui, quand il entrera dans le néant, se sentira chez lui. »

« Il ne suffit pas d'avoir de gros sourcils pour être Pompidou. »

« Il n'existe pas, personne ne l'a jamais rencontré. »

« Ne le grattez pas, dessous il y a une teigne. »

La première fois que j'ai vu Fillon après sa nomination à Matignon, je lui demandai :

« Ce n'est pas trop dur de travailler avec Sarkozy ?

— Si. »

La broussaille de ses sourcils n'avait pas bougé et il ajouta avec un grand sourire :

« C'est même très dur. Mais enfin, c'est quelqu'un de pas banal et on peut faire des choses avec lui...

— Il te laisse les faire ?

— Je prends ce qui reste.

— Comment peux-tu supporter ça ?

— Parce que, malgré toutes les vicissitudes, j'ai le sentiment de travailler avec un type hors pair, un personnage comme il y en a eu très peu au cours des dernières décennies. Il suffit de le comparer avec ses prédécesseurs, ça console. Franchement, je ne vais pas me plaindre. »

Tel est le président Fillon : un homme tranquille qui ne se laisse pas embrouiller l'esprit par les court-circuitages, les mortifications et les blessures d'amour-propre. Il les contemple des hauteurs d'où il surplombe Sarkozy lui-même.

J'ai fait partie de ses visiteurs du soir, à Matignon. Tout au long de ces années, j'ai été frappé qu'il ne me balance jamais d'horreurs sur Sarkozy qui, pour sa part, n'en était pas avare sur son compte.

Il y a du Rocard chez cet homme-là. Il n'aime rien tant que parler du fond. Des astuces de la Chine pour conforter sa croissance. Des secrets du miracle coréen ou du développement brésilien. Il vient toujours de recevoir un économiste étranger de passage qui lui a raconté une histoire extraordinaire à méditer. C'est un janséniste de la politique et du service de l'État.

J'imagine les échanges entre Sarkozy et lui. Les deux hommes ne peuvent pas se comprendre, ils ne parlent pas la même langue. Au surplus, il m'a tout de suite semblé qu'ils n'étaient pas vraiment en phase sur le plan économique. D'entrée de jeu, Fillon n'acceptait pas que la France continue à dépenser bien plus qu'elle ne produisait. Il revient de loin. Dans les années 1990, quand il était encore un disciple de Philippe Séguin, incarnation tonitruante du gaullisme social, il a au

104

demeurant voté « non » au référendum sur le traité de Maastricht.

En matière de rigueur, ses ennemis diront qu'il a l'ardeur des néophytes et qu'il aurait beaucoup à se faire pardonner. Soit. Il reste que, sur le plan économique, il constitue, avec le président, l'attelage classique de l'optimiste et du pessimiste, ce dernier rôle étant d'ordinaire dévolu, sous la Ve République, au Premier ministre.

Qu'est-ce qui a permis à Fillon de tenir si longtemps alors que Sarkozy prétendait l'écraser de son fessier de plomb ? Cet homme a du caractère et il l'a prouvé en bravant souvent Chirac, dans le passé. Mais là, il a pris sur lui, au point de souffrir d'une interminable sciatique dont l'origine était, selon toute vraisemblance, psychosomatique.

Sans doute Fillon a-t-il toujours éprouvé envers Sarkozy un mélange de fascination et de mépris, ce mépris dont on n'a pas attendu Baltasar Gracián pour savoir qu'il était la plus subtile des vengeances.

On attend les autres vengeances.

19

Le Grand Condé

« En matière de sédition, tout ce qui la fait croire, l'augmente. »

Cardinal de RETZ

Pour survivre en Sarkozie, il faut une force de caractère particulière et Jean-François Copé en a fait preuve, lui aussi. C'est ainsi qu'il est devenu l'un des personnages clés du système.

Il a trouvé le mode de fonctionnement avec le président : ne jamais se laisser impressionner par ses éclats de voix, répondre du tac au tac et, si nécessaire, à la menace par la menace.

Au premier abord, c'est un avatar de Sarkozy. Le même sourire carnassier, le même pragmatisme à la limite de la transgression, la même absence de doute sur son destin présidentiel. Sans parler du bagou.

Un Sarkozy pouvant toujours en cacher un autre, on est en droit de frémir à l'idée qu'on n'en aura jamais fini avec cette engeance, mais non, pour le reste, Copé n'a rien à voir avec le président.

Il n'avance pas l'ambition bombée ni l'autoglorification à la bouche. C'est un homme posé qui n'a jamais de sautes d'humeur et qui ne semble pas prêt, contrairement à Sarkozy, à défendre ses idées jusqu'à la mort. Malgré les apparences, il est tout sauf rigide.

C'est pourquoi il sait rassembler, comme à Meaux, la ville de Seine-et-Marne dont il est le maire. Il en a fait un fief inexpugnable : aux élections municipales de 2008, il a ainsi été réélu avec un score de 67,74 % des suffrages.

Les personnalités de ce genre sont toujours plus dangereuses à l'extérieur qu'à l'intérieur du gouvernement. Après son élection, Sarkozy a commis l'erreur de l'écarter du ministère du Budget qu'il occupait. À l'époque, il s'en explique avec lui en utilisant un argument aussi spécieux que ridicule : « Je n'ai pas pu faire autrement. Je ne voulais garder personne au même poste et je ne te voyais qu'au Budget. Désolé. »

Il lui propose alors la présidence du groupe parlementaire de l'UMP à l'Assemblée nationale. Un poste qui correspond, lui dit-il avec un clin d'œil complice, à ce qu'il doit faire pour préparer son avenir présidentiel. « Te fatigue pas, répond Copé, c'est vendu. »

Alors qu'il croyait enterrer le maire de Meaux, Sarkozy lui a, au contraire, donné l'occasion de transformer, avec l'appui des députés, le groupe UMP en place forte qui, sur plusieurs réformes, n'hésite pas à corriger la copie du gouvernement. Mauvaise pioche.

Un an après son élection, Sarkozy essuie ainsi son premier grand revers parlementaire quand une loi sur les OGM est retoquée par le PS, avec la complicité passive de l'UMP.

Le lendemain, le président appelle Copé. Il est furieux.

« Tu veux devenir un contre-pouvoir, hurle-t-il.

— Non, répond le maire de Meaux. Le Parlement est un pouvoir en soi, c'est ce qu'on appelle le pouvoir législatif.

— Je sais ce que c'est d'allumer les incendies pour mieux pouvoir les éteindre. Je l'ai fait avant toi. »

Les explications de Copé sur ce fiasco ne sont pas convaincantes, elles sont même à la limite de l'insolence. S'il ne fut pas à l'origine du bras d'honneur des députés UMP au gouvernement, il l'a au moins encouragé. C'est qu'il est le chef de la fronde. La preuve, il est applaudi comme jamais par les parlementaires à la réunion de leur groupe où Claude Goasguen, le député de Paris, traite de « connards » les collaborateurs du président.

Entre Sarkozy et les députés, il y a un fossé qui ne cessera plus de se creuser, pour le plus grand bénéfice de Jean-François Copé.

Peu après le couac de la loi sur les OGM, le président dit au maire de Meaux, sur le mode flatteur :

« Y a un truc qu'il faut que tu saches : tu fais partie des deux ou trois types qui peuvent avoir le premier rôle, un jour, dans ce pays. Mais il y a une règle que tu dois connaître : aucun de ceux qui ont réussi n'a pris, pour y arriver, la même voie que ses prédécesseurs.

— C'est pourquoi je suis président de groupe. »

À la même époque, l'AFP fait dire à Sarkozy qu'il n'y a aucun président de groupe qui ait fait quelque chose après avoir occupé ce poste. Devant le Conseil des ministres, le chef de l'État laisse aussi tomber : « C'est bien gentil d'avoir de grandes ambitions. Mais avant de sauter 2 mètres 10, il faut savoir sauter 1 mètre 40. »

C'est l'époque où Sarkozy dit tout le temps du mal de Copé, sans se brider, de manière obsessionnelle.

Sarkozy vient de découvrir qu'il avait désormais son Sarkozy. Un personnage batailleur et cultivé, qui fait penser à Louis II de Bourbon, fils de Henri II, dit le Grand Condé. Un homme qui affichait ses victoires militaires à Rocroi, Nördlingen ou Dunkerque, tout en cultivant les amitiés de Boileau et Racine. Frondeur, mais pas trop...

20

La malédiction de l'Élysée

> « Il y a des gens qui parlent, qui parlent
> jusqu'à ce qu'ils aient enfin trouvé quelque
> chose à dire. »
>
> Sacha GUITRY

Comme journaliste, je vais partout où je peux
tomber sur une information mais je n'ai jamais
prisé les entretiens avec les chefs d'État : j'en
suis généralement rentré bredouille. En petit
comité ou pas, c'est toujours la barbe. Ces gens-là
s'écoutent parler en prenant la pose devant leurs
conseillers pâmés.

Dans le genre, François Mitterrand était le
moins mauvais. Sa soupe était plus pimentée, on
attendait toujours la vanne mais quand elle tombait, je ne supportais pas la trombe de rires courtisans qui suivaient. Je préférais le tête-à-tête.

Avec Chirac, c'était un cauchemar. Alors qu'il
pouvait être si drôle quand il voulait, le flot des
mots qui coulaient de sa bouche présidentielle
était devenu si insipide qu'il fallait, même quand
on se trouvait seul avec lui, batailler contre le
sommeil. Il luttait contre sa nature, il se bridait
de partout, il n'y avait rien à en tirer.

C'est la malédiction de l'Élysée. Notre système
monarchique tire ses grands hommes vers le bas.
Entourés à peu près seulement de valets, de
louangeurs et de faux dévots qui prétendent les

protéger contre le monde entier, ils ont l'esprit qui se ramollit, et leur douce hébétude n'est pas sans rappeler celle des reines des fourmis. Encore qu'elles seraient sûrement plus intéressantes à écouter si elles avaient été dotées de la parole.

Sarkozy, pourtant matamore du verbe, n'est pas le moins ennuyeux de ces personnages illustres qu'il m'a été donné d'entendre. Il ne raconte rien. Spécialisé dans le registre saoulant de l'auto-justification et de l'auto-célébration, il ne cherche qu'à convaincre et c'est toujours le même disque.

En vidant mes vieux carnets, je ne trouve rien qui mérite vraiment d'être retenu : c'est un mélange de platitudes et de satisfecit, de la bouillie pour les chats. À part ces quelques observations non dénuées d'humour, généralement involontaires :

« Angela Merkel fait les courses au supermarché. Je n'ai jamais fait les courses au supermarché, même quand j'étais étudiant, et les gens ne m'ont pas élu pour que j'aille faire les courses au supermarché. »

« Je ne lis pas la presse parce que je ne veux pas être troublé. Je veux me protéger pour rester en contact avec les gens, les comprendre. C'est ça, mon métier. »

« La France est de retour. Kennedy, c'était rien à côté. Je suis dans la presse internationale tous les jours. L'homme de l'année en Chine et en Espagne. »

« Je crois être le premier président qui, au bout d'un an, n'a retiré aucun de ses textes. »

« Après plusieurs mois de pouvoir, Giscard était à la peine. Mitterrand traînait la patte. Moi, ça marche. C'est ça qui impressionne, à l'étranger. »

Je pourrais continuer encore longtemps à exhumer de mes cahiers à spirale des citations de ce genre, mais elles sont très répétitives. Du radotage.

Il me paraît plus judicieux de m'interroger sur la motivation qui pousse Nicolas Sarkozy à tenir toujours le même discours vantard devant tous ses interlocuteurs, journalistes ou pas. Il y a quelque chose qui en dit long sur son anxiété, son hypersensibilité aux critiques et son obsession maladive du paraître ou de la gloriole.

Il faut tout faire soi-même, aime-t-il répéter. En l'espèce, même sa pub. Même sa propre apologie, alors qu'à l'Élysée, il est déjà gâté et même gavé, en la matière.

C'est ce qui rend si pathétique, voire touchant, cet homme qui parle, parle, parle à perdre haleine, en privé, à la télévision, partout, pour assurer ses prochains qu'il fait de son mieux et qu'il est même assez génial.

Je suis sûr qu'il parle encore dans son sommeil. Quand il ne parlera plus, il faudra s'inquiéter : c'est sans doute qu'il sera mort.

21

Le fantôme de M. Thiers

« M. Thiers commence toujours par parler
des choses ; il finit quelquefois par les
apprendre. »

SAINTE-BEUVE

Comparer Nicolas Sarkozy à Napoléon est un
exercice paresseux mais pas tout à fait oiseux. Il
y a chez eux la même arrogance bravache et cha-
rismatique devant les hommes qu'il s'agit de mater.
La même faiblesse insigne devant les femmes
qu'il faut séduire ou garder et qui, finalement,
font d'eux ce qu'elles veulent. La même vanité qui
les mène à la boursouflure. La même aptitude
enfin à demander toujours plus aux siens. On voit
bien le président écrire comme jadis l'Empereur
au général Le Marois, commandant de Magde-
bourg, qui avait du mal à tenir une place menacée
par l'ennemi : « Cela n'est pas possible, m'écri-
vez-vous ; cela n'est pas français. » Expression
dont on a, par la suite, tiré la formule : « Impossible n'est pas français. »

S'ils sont habités par la même fièvre insatiable,
la même avidité de conquêtes, de célébrité et de
renommée, ils n'ont pas le même rapport au
temps et au silence, que Napoléon a toujours su
maîtriser, à quelques exceptions près. « Le temps
est le grand art de l'homme », disait-il au roi de
Naples. « Sachez écouter, et soyez sûr que le

silence produit souvent le même effet que la science », expliquait-il au prince Eugène. Si ce n'est quand tout va mal autour de lui, ce qui l'amène alors à prendre du champ, Sarkozy reste jusqu'à la caricature un rejeton de la civilisation contemporaine. Un homme pressé et bavard, qui court après le dernier avion.

J'ai pu comparer naguère Sarkozy à Clemenceau, une personnalité à double fond, qui fascinait Mitterrand. Il en parlait toujours avec des trémolos dans la voix, sans doute parce qu'il se voyait dans le reflet du Tigre, dreyfusard, briseur de grèves et vainqueur de la Grande Guerre, qui incarnait des valeurs de droite aussi bien que des valeurs de gauche. Mitterrand osait même le situer au-dessus du général de Gaulle.

Sarkozy n'est, bien sûr, ni un personnage historique ni un homme aussi complexe, mais il y a chez lui la même hargne verbale que chez Clemenceau, le même goût pour les formules qui tuent, la même capacité de se faire des ennemis définitifs. On l'imagine très bien dire de Villepin, comme Clemenceau jadis de Briand : « Même quand j'aurai un pied dans la tombe, j'aurai l'autre dans le derrière de cet animal. »

La comparaison ne va pas plus loin.

C'est à Adolphe Thiers que Nicolas Sarkozy fait le plus penser. Certes, il est peu probable que le président écrive un jour comme son lointain prédécesseur, par ailleurs historien de poids sous son mètre cinquante-cinq, une histoire du Consulat et de l'Empire en vingt et un volumes. Certes, il n'est pas non plus un être assez romanesque pour qu'un écrivain s'en inspire un jour à la façon de Balzac quand il enfanta son Rastignac.

Balzac écrivit justement de ce Marseillais monté à Paris, qui avait tout de suite conquis les

114

salons de la capitale : « M. Thiers a toujours voulu la même chose. Il n'a jamais qu'une seule pensée, un seul système, un seul but : tous ses efforts y ont constamment tendu, il a toujours songé à M. Thiers. » Et d'ajouter : « M. Thiers est une girouette qui, malgré son incessante mobilité, reste sur le même bâtiment. »

Sarkozy et Thiers ont les mêmes ressorts. Le mépris, voire la haine du père qui a quitté le domicile familial. Une idée boursouflée d'eux-mêmes, inversement proportionnelle à leur taille. Une tendance à sous-estimer tout le monde (« c'est un crétin que l'on mènera », disait Thiers à propos du futur Napoléon III). La conviction qu'ils sont omniscients et qu'ils feraient mieux que les autres dans leur spécialité. La propension à maltraiter leurs ministres en entrant dans les plus petits détails de leur secteur et en décidant à leur place, sans les prévenir. L'incontinence verbale, enfin, qui paraît incurable.

Sainte-Beuve pourrait tout aussi bien évoquer le sixième président de la Ve République quand il écrit, à propos de celui qu'on surnomma « Adolphe Ier » : « M. Thiers sait tout, parle de tout, tranche de tout. Il vous dira à la fois de quel côté du Rhin doit naître le prochain grand homme et combien de clous il y a dans un canon. »

En lisant le livre que Georges Valance[1] a consacré au parangon de la bourgeoisie du XIXe siècle, une des meilleures biographies avec celle du duc de Castries, j'avais un sentiment de « déjà-vu ». Il m'a semblé que l'Histoire était décidément une grande radoteuse quand je suis tombé sur cette scène qui pourrait se dérouler, à l'Élysée, sous

---

1. *Thiers, bourgeois et révolutionnaire*, Flammarion, 2007.

Sarkozy : « Ayant reçu un postulant à la direction de la Manufacture de Sèvres et à qui il avait expliqué les secrets de la porcelaine, Thiers confie à Falloux : "Il n'est pas plus fait pour ce poste que moi pour…" Le voyant hésiter, Falloux réplique : "Ah ! ah ! M. Thiers, vous voilà bien embarrassé pour dire ce que vous ne sauriez pas faire.

— C'est vrai, c'est vrai !", reprit Thiers gaiement. »

22

« Taulier du monde »

> « Il n'y a jamais eu ni bonne guerre ni mauvaise paix. »
>
> Benjamin FRANKLIN

Je plains les politiques, je les plains bien sincèrement. Quand, par leur talent et leur travail, ces pauvres diables réussissent à sortir du lot, ils deviennent le matériau de base des scribouillards frivoles et irresponsables dans mon genre, qui s'en saisissent pour les broyer, le temps d'un livre ou d'un article, sous leurs espiègleries et leurs dénigrements systématiques.

C'est un métier : le mien. Vous me direz qu'à observer toute cette ménagerie feindre, carotter ou suborner, sans jamais prendre de risque ni voir plus loin que le prochain scrutin, on peut comprendre que le mot même de politique fasse rire ou bien vomir. Dieu sait, pourtant, s'il y a beaucoup de personnages, à gauche comme à droite, qui honorent leur fonction.

Il arrive ainsi à Nicolas Sarkozy de l'honorer. Notamment sur le plan international. C'est qu'il fut toujours, ou presque, à la hauteur dans la gestion des affaires du monde ; il a su faire respecter la France.

Certes, on ne se refait pas, il a souvent cédé à ses mauvais penchants pour la gloriole. Quand, par exemple, en juillet 2008, il dit à Jean-Louis Borloo et à plusieurs ministres à propos de l'élection présidentielle américaine à venir : « J'espère que John McCain sera élu. Avec lui à la Maison-Blanche, je pourrai rester le taulier du monde. Si c'est Barack Obama, en revanche, j'aurai du mal, beaucoup de mal. »

Observation aussi naïve que pathétique. Nicolas Sarkozy n'a pas compris que le pouvoir d'une personnalité sur le monde, fût-elle talentueuse, reste proportionnel au poids économique de son pays. Or, à l'heure de l'hypercroissance de la Chine, de l'Inde ou du Brésil, la France n'a plus, c'est l'évidence, le même rayonnement qu'autrefois. Ce n'est pas vers elle que tous les yeux sont rivés : ses gigotis ou ses contorsions n'y changeront rien.

Mais Nicolas Sarkozy n'est pas du genre à se moucher du pied. Depuis que la France a assuré la présidence semestrielle de l'Union européenne, en 2008, il fait le renchéri. La crête levée, il est tout de suite apparu, sur la scène internationale, comme une réincarnation du coq gaulois. Dans les sommets, il lui faut toujours avoir la vedette, surtout devant les caméras : quand il ne se pousse pas du col, il se hausse sur la pointe des pieds, fait des grands gestes des bras ou se tient à l'écart avec une mimique, comme ces mystificateurs qui veulent faire croire qu'ils sont au centre des débats et des conversations.

Le « taulier du monde » vaut pourtant mieux que cette image infantile. En quelques mois, il l'a prouvé deux fois. Avec la crise géorgienne, puis avec la crise financière. Dans les deux cas, il ne fut certes pas le sauveur de l'humanité que s'échine à nous décrire l'hagiographie sarkozyenne. Mais il fut à son meilleur, avec sa rapidité d'action et son énergie pétaradante.

Quand survient le conflit entre la Russie et la Géorgie, dans les premiers jours d'août 2008, le dossier de l'Occident général et de Nicolas Sarkozy en particulier n'est pas excellent, loin s'en faut : avec cette affaire, c'est en effet le précédent du Kosovo qui revient en boomerang.

En décidant, la même année, d'amputer la Serbie d'un de ses territoires historiques, le Kosovo, qu'ils laissèrent accéder à son indépendance, les Occidentaux ont réinventé une jurisprudence, fauteuse de guerre, qui n'avait plus cours depuis longtemps en Europe : l'autodétermination.

Tous les observateurs avertis avaient prévu le coup : après l'autodétermination du Kosovo, pourquoi pas celles de provinces qui rêvent de s'affranchir de la Géorgie, comme l'Abkhazie (12 % du territoire géorgien) et l'Ossétie du Sud (5 %) ? Deux républiques, respectivement peuplés de 250 000 et de 70 000 habitants, aux mains des russophones qui ne songent qu'à revenir dans le giron de la mère patrie.

Un homme d'État de la trempe de François Mitterrand aurait pu empêcher cette faute originelle que fut l'indépendance donnée au Kosovo, berceau de la Serbie, colonisé au fil des ans par l'immigration albanaise. Hanté par le souvenir de la Seconde Guerre mondiale, l'ancien président français ne souffrait pas l'idée que la vieille Europe passe son temps à redessiner ses frontières, jusqu'au prochain conflit. En somme, il préférait une injustice à la guerre. Mais les humains ont toujours tendance à croire que l'histoire du monde a commencé le jour de leur naissance. C'est notamment le cas de la nouvelle génération de dirigeants européens qui, sur l'affaire kosovare, a laissé la bride à la bienpensance médiatique et à son inculture historique.

Mikheil Saakachvili, le président géorgien, est un grand naïf, ami de l'Occident, qui a beaucoup sympathisé avec Nicolas Sarkozy et que George Bush apprécie au plus haut point. Ils l'ont toujours assuré de leur soutien en cas de conflit avec les Russes. Et il a cru, le benêt, qu'il était dans son bon droit quand, le 7 août 2008, il a lancé une offensive militaire pour recouvrer la souveraineté de la Géorgie sur l'Ossétie du Sud, aux mains des séparatistes pro-russes. Les Russes ont aussitôt réagi ; ils sont entrés en guerre. À leur façon, sans ménagement.

Le 12 août, Nicolas Sarkozy se rend à Moscou pour tenter d'arracher un arrêt des combats alors que les troupes russes avancent lentement mais sûrement en territoire géorgien, en direction de la capitale. La veille, George Bush lui a déconseillé de faire le voyage : « Laisse tomber. Le temps que tu arrives à Moscou, les chars russes seront déjà à Tbilissi. » Bien sûr, le président français ne l'a pas écouté ; il a décidé de régler le problème lui-même et de profiter de l'incroyable absence américaine.

Les États-Unis rechignent à se mêler d'un conflit qui fait rage dans la zone d'influence russe. George Bush est, de surcroît, défaitiste et dépressif, comme tous les présidents américains en fin de mandat, quand tout se ligue contre eux. Il est devenu le fantôme de son propre déclin. Il n'a plus aucun réflexe.

Pour Nicolas Sarkozy, c'est le moment ou jamais. La géopolitique ayant, comme la nature, horreur du vide, il jouera donc, après le forfait américain, au maître du monde. L'homme par qui la paix est arrivée. Le sage de la vieille Europe. Il n'a au demeurant pas le choix. Il a tout à gagner. Tout à perdre aussi.

Dmitri Medvedev, le président russe, avait indiqué à Nicolas Sarkozy que les opérations militaires prendraient fin avant même que son avion n'atterrisse à Moscou. Promesse tenue. Lors de sa négociation avec son homologue français, le président russe est au demeurant aussi prévenant que coulant. Encore qu'il se plaise, bien sûr, à évoquer le précédent du Kosovo : « Les Ossètes et les Abkhazes veulent-ils vivre au sein de la Géorgie ? Il n'y a qu'à leur poser la question par référendum comme on l'a fait pour le Kosovo. »

Entre les deux hommes, tout se passe bien. D'autant mieux que Nicolas Sarkozy n'entend pas, dans l'accord de cessez-le-feu, sacraliser l'intégrité territoriale de la Géorgie : il en accepte *in fine* un dépeçage partiel ; pour lui, c'est le prix à payer si l'on veut éviter que la Russie mette la main sur le pays tout entier. Un compromis aurait été rapidement trouvé si Vladimir Poutine n'était entré en scène.

« Ici, dit-il en arrivant, c'est comme dans les films, il y a un *good guy* et un *bad guy*. Le *bad guy*, c'est moi. » Et il ne manquera pas de le prouver pendant la négociation qui suivra.

Un jour, lors d'un dîner d'État avec François Fillon, Vladimir Poutine avait eu droit à du lièvre à la royale. « Le lièvre a été chassé hier », avait cru bon d'annoncer le maître d'hôtel. Alors, Poutine : « Si ce lièvre avait su qui allait le manger, il se serait rendu tout de suite. »

Poutine traite tout le monde comme le lièvre de son histoire. Une négociation avec lui, c'est déjà une reddition.

Il n'y a pas si longtemps, Vladimir Poutine pouvait jouir de la fascination qu'il exerçait sur Jacques Chirac et son Premier ministre, Dominique de Villepin. Depuis son accession à l'Élysée,

Nicolas Sarkozy a prétendu renverser les alliances ou, du moins, les complicités. Il a même prétendu, le néophyte, donner des leçons à Poutine en matière de droits de l'homme. Il passera sous ses fourches Caudines.

Quand Nicolas Sarkozy s'envole de Moscou pour Tbilissi, ce 12 août, il a en main un accord en six points... non signé. Un accord qui, pourtant, porte la griffe des Russes : ils ont eu gain de cause sur à peu près tout.

Dans la capitale géorgienne dont l'aéroport a été bombardé par les Russes, il règne une atmosphère de veillée funèbre. Tout le monde, dans le comité d'accueil, tire une tête d'enterrement. C'est en effet aux obsèques de la Géorgie que sont venus assister les présidents polonais et ukrainien, ainsi que les dirigeants baltes qui ont beaucoup de russophones sur leur territoire et craignent d'être les prochains sur la liste de Moscou. Des obsèques consacrées par le texte que Nicolas Sarkozy tend à Mikheil Saakachvili pour qu'il le signe.

L'autre refuse. Colère de Sarkozy qui lui hurle dessus : « Tu n'as pas le choix, Micha. Quand les Russes arriveront pour te destituer, tu verras, aucun de tes amis ne lèvera le petit doigt pour te sauver. »

Saakachvili argumente et ratiocine ; il ne veut rien entendre.

« Si tu ne signes pas tout de suite, s'écrie Sarkozy, tu te démerderas tout seul. Tu ne te rends pas compte où t'en es, mon pauvre Micha. Après, il ne faudra pas venir te plaindre. »

Le président géorgien avait cru nouer, ces dernières années, des relations d'amitié avec Nicolas Sarkozy. Il se sent blessé et trahi. « Ce n'est pas comme cela qu'on se conduit avec des amis », dira-t-il à Bernard-Henri Lévy. Il ne savait pas que le malheur n'a pas d'amis. En tout cas, très peu et, en l'espèce, pas Sarkozy.

Il est minuit et, apparemment, le président français est pressé de rentrer en France rejoindre son épouse au Cap Nègre, dans le Var. Une raison supplémentaire pour mettre la pression sur Saakachvili, qui finira par plier, de guerre lasse, devant l'oukase russe en signant une capitulation de la Géorgie, indûment présentée comme un accord de paix.

Le président de la Lituanie, Valdas Adamkus, a comparé cet accord à ceux de Munich, en 1938, quand les Français et les Britanniques avaient laissé Adolf Hitler annexer les Sudètes, un territoire de la Tchécoslovaquie, sous prétexte de protéger les germanophones qui l'habitaient. Même s'il est stupide de comparer Poutine à Hitler, Adamkus n'a pas tout à fait tort, loin de là.

Au détail près que Nicolas Sarkozy a évité le pire et paré au plus pressé avec un brio d'expert en médiation : les chars russes ne sont pas allés jusqu'à Tbilissi, comme on aurait pu le penser. Il a su, en outre, incarner l'Europe. Un fin connaisseur de la chose sarkozyenne, Arnaud Leparmentier, a noté, à juste titre, que Nicolas Sarkozy a fait preuve, dans cette affaire, d'un « activisme inédit en Europe[1] ». Le président en exercice de l'Union européenne a en effet pris ses partenaires de vitesse « en courant de Tbilissi à Moscou, sans solliciter d'eux le moindre mandat de négociation, même s'il leur téléphonait sans cesse. Il les a ensuite mis devant le fait accompli, leur demandant de valider l'accord ».

1. *Le Monde*, 18 août 2008.

Selon Arnaud Leparmentier, la médiation aurait sans doute échoué « si les Français avaient travaillé dans les règles de l'art, convoquant d'abord une réunion de leurs ministres des Affaires étrangères, comme cela avait été initialement envisagé. La rédaction d'un mandat précis, rappelant les principes de base du droit international, aurait empêché un accord avec les Russes ».

Là où le bât blesse, c'est que l'accord s'est, comme il dit, « conclu aux conditions des Russes » : si paix il y a eu par la suite, ce fut une *pax poutina*, au détriment des minorités géorgiennes des territoires séparatistes. Des milliers et des milliers de Géorgiens ont été chassés, depuis, par les russophones d'Abkhazie et d'Ossétie du Sud.

Si les mots ont un sens, il s'agit là de purification ethnique. Avec les mêmes images qu'on a pu voir naguère dans les Balkans : villages brûlés, rasés au bulldozer, réfugiés jetés sur les routes, récalcitrants massacrés.

Mais ce qui est une vérité dans les Balkans devient apparemment une erreur au-delà : ni Sarkozy ni la communauté internationale n'ont osé condamner le nettoyage ethnique auquel ont procédé les russophones. Qu'importe si l'un et l'autre ont été ridiculisés par la Russie qui, dès le 26 août, reconnaissait de manière « irréversible » l'indépendance des deux républiques séparatistes de Géorgie : c'était dans l'ordre des choses. Ils ont, en revanche, commis une faute en restant sourds et aveugles à la question des réfugiés.

Déjà, en 1992, après l'indépendance de la Géorgie, ce sont les Abkhazes (17 % de la population) qui avaient gagné la guerre contre les Géorgiens (44 % de la population), avec le soutien des

124

Russes. Résultat : 250 000 Géorgiens avaient été, à l'époque, chassés d'Abkhazie.

La purification ethnique avait frappé pareillement l'Ossétie du Sud où 25 000 Géorgiens résidaient encore, malgré les difficultés, avant le conflit de 2008.

Avec la *pax poutina*, le nombre de réfugiés et de personnes déplacées en Géorgie s'élève à plusieurs dizaines de milliers, vivant dans des conditions précaires et insalubres. L'Union européenne a mis un mouchoir dessus.

Les Occidentaux ont sauvé la paix, mais perdu l'honneur. Sarkozy, lui, a empêché le pire : l'annexion pure et simple de la Géorgie par la Russie.

23

Le tournis de la girouette

« Je suis assez semblable aux girouettes,
qui ne se fixent que quand elles sont
rouillées. »

VOLTAIRE

Le 27 décembre 2006, alors qu'il est en
vacances à Marrakech, au Maroc, pour les fêtes
de fin d'année, Nicolas Sarkozy, accompagné de
Cécilia, passe la soirée avec Bernard-Henri Lévy
et Claude Lanzmann.

Décidé à recruter tous les intellectuels de
France, il leur tient le langage qu'ils veulent
entendre. Du Sarkozy des grands jours, déclamatoire et péremptoire. Écoutons :

« On va faire des choses extraordinaires et
tourner le dos à la diplomatie cynique des dernières décennies. Vous verrez, je vais faire bouger
les lignes. Contrairement à Chirac, je préfère
encore Bush à Poutine. Je serai l'ami des femmes
partout dans le monde et, vous pouvez compter
sur moi, je ne laisserai pas faire les Russes en
Tchétchénie. »

Quelques mois plus tard, Sarkozy agit à
l'inverse. Jusqu'à friser le ridicule avec l'épisode
des félicitations à Vladimir Poutine après sa victoire aux élections législatives, le 2 décembre
2007. L'homme qui a dit, pendant la campagne
présidentielle, qu'il ne serrerait pas la main du

président russe, est, ce jour-là, le premier à téléphoner au tsar de toutes les Russies pour le complimenter. Il est aussi le seul à le faire avec le président iranien, Mahmoud Ahmadinejad, et le chef du gouvernement italien, Romano Prodi.

Comment expliquer cette volte-face sur Poutine ? On aurait tort de l'imputer à l'immaturité pathologique du chef de l'État ou à une impulsion de tête de linotte, écoutant le dernier qui a parlé : par exemple, Jean-David Levitte, son conseiller diplomatique qui incarne la ligne traditionnelle du Quai d'Orsay.

Il a juste changé de rôle. Il est passé directement de son programme de campagne à une pratique de Realpolitik. Du rêve à la réalité.

Nicolas Sarkozy est, avant toute chose, un avocat d'affaires. Dans tous les domaines, politique, économique ou diplomatique, il se comporte en avocat d'affaires, cherchant toujours les niches, les effets de levier ou d'aubaine. Vérité un jour, mensonge le lendemain. Il est comme n'importe quel politicien radical-socialiste à la Chirac : il se prend pour le vent ; il n'est que la girouette.

Il aime dire qu'il fait du Gramsci. Quand on sait qu'Antonio Gramsci (1891-1937) est le philosophe de la *praxis* et qu'il était convaincu que le marxisme apportait les fondements d'« une totale et intégrale conception du monde » tout en permettant de vivifier la société, on est un peu surpris. Mais bon, si les politiciens savaient toujours de quoi ils parlaient, les scrogneugneux de mon espèce auraient moins à écrire.

Peut-être Sarkozy veut-il faire allusion à l'importance que Gramsci accordait au champ sociétal, mais rien n'est moins sûr. Un jour où je l'interrogeai sur son prétendu gramscisme, il me répondit par une pirouette qui, à mes yeux, confirma son ignorance :

« Mon gramscisme consiste à fuir toutes les formes d'idéologie. Si j'en ai une, c'est d'organiser en permanence des confrontations idéologiques qui me mettent au cœur du débat. Pour qu'il se déroule autour de moi, de mon projet, de ma politique. »

Tout est dit : le sarkozysme n'est pas un corpus de convictions, mais une méthode. Un clou chasse l'autre. Quand il arrive à l'Élysée, il fait ainsi la même erreur que Chirac en son temps. Pour faire avancer l'Europe, il décide d'en finir avec l'axe franco-allemand et de se rapprocher du Royaume-Uni. Fiasco total. Il n'insiste pas et renoue aussitôt avec Berlin. Un coup gaullo-jacobin, l'autre libéral à l'anglo-saxonne, un jour poutinien, le lendemain atlantiste, Nicolas Sarkozy n'a pas le souci de la cohérence, mais de l'efficacité. Il change d'idées plus vite encore que de chemise. Au point qu'un des ralliés de 2007, Hervé Morin, le député de l'Eure, ex-lieutenant de Bayrou, dont il a fait son ministre de la Défense, en est venu à douter de sa sincérité européenne.

Un dimanche soir, en avril 2010, Sarkozy convoque Hervé Morin à l'Élysée pour le dissuader de se présenter à l'élection présidentielle de 2012, comme il en a manifesté l'intention.

« Allons, Hervé, dit le président, il n'y a aucune différence politique entre nous. On pense la même chose sur tout, en particulier sur l'Europe. »

Alors, Morin :

« Non, ton Europe est intergouvernementale, elle se réduit à une relation particulière entre des États, notamment la France et l'Allemagne. La mienne n'a rien à voir. C'est une dynamique, une fédération d'États-nations où la somme des intérêts particuliers fait l'intérêt général. »

C'est ce que Nicolas Sarkozy appela son « réalisme ». Contrairement à ses engagements de campagne, il se lance aussi, dès son accession au pouvoir, dans la Realpolitik, recevant notamment avec faste le plus sanguinaire et le plus ridicule des tyrans arabes, Mouammar el-Khadafi, au grand dam de la secrétaire d'État aux Droits de l'homme, Rama Yade. Non seulement il la sermonne, mais, en plus, il semble sincèrement fasciné par le sanglant colonel d'opérette, abruti par les drogues et les médicaments, qui joue, les yeux plissés, au poète du désert.

Le 10 décembre 2007, recevant à déjeuner des éditeurs à l'Élysée, le président essuie quelques sarcasmes d'Antoine Gallimard à propos de son nouveau grand ami qui a dressé sa tente dans les jardins de Marigny.

Alors, Sarkozy :

« Je m'étonne que des personnes représentant la culture n'aient pas l'esprit plus ouvert et plus tolérant. »

Il y a dans cette attitude qu'on retrouvera chez lui face à d'autres despotes une absence totale de finesse et une naïveté colossale de néophyte. C'est ce qui mettra sa diplomatie, si l'on ose dire, en porte-à-faux quand se propagera, en 2011, la révolution arabe.

Mitterrand disait : « On ne sort de l'ambiguïté qu'à son détriment. » Sarkozy en sort tout le temps, dans un sens ou un autre.

Là sont la force et la limite du sarkozysme. Le président semble penser au jour le jour, sans vraie ligne de conduite ni suite dans les idées, se contredisant souvent et jouant continuellement les uns contre les autres ou inversement, les élites contre le peuple, les salariés contre les patrons ou les policiers contre les magistrats, pour rester au centre du paysage. Il n'est ainsi jamais là où on l'attend. Il ne sait même pas lui-même où il en sera bientôt.

À son propos, on a envie de paraphraser Mallarmé au sujet de Stendhal : « Quel homme d'État il eût été s'il avait cru en quelque chose ! » Ou bien Voltaire au sujet d'un critique littéraire : « C'est un four qui toujours chauffe et où rien ne cuit. » Il a tout. Sauf la pâte. S'il l'avait, il n'aurait de toute façon pas la patience de la pétrir.

La politique n'est pas une science, mais l'art de gérer les dynamiques irrationnelles. Nicolas Sarkozy, qui n'a ni tabou ni repère, y est donc à son aise. Surtout pendant les crises, quand les boussoles s'affolent. C'est ainsi qu'il fut à son sommet, même s'il reste beaucoup à dire, pendant la tempête qui s'est abattue, à l'automne 2008, sur les marchés financiers.

Soudain, son style égotique et vibrionnant ne prêtait plus à sourire : son autorité s'imposait naturellement. Face aux dangers, il semblait plus à l'aise que beaucoup d'autres, avec l'effervescence qui lui tient lieu, souvent, de raisonnement.

Quand les temps changent, Nicolas Sarkozy peut même changer plus vite qu'eux...

24

Du vent dans les branches
de sassafras

« L'avenir a ceci de fâcheux qu'il est arrivé
avant que nous ayons eu le temps de nous
y préparer. »

Alexandre VIALATTE

L'Histoire, c'est comme la mort : elle ne prévient jamais avant d'entrer ; elle arrive le plus souvent quand on ne l'attend pas. Par-derrière.

Sarkozy n'avait pas prévu que l'Histoire arri-
verait par l'économie. Il n'était pas le seul. Il ne
l'a même pas vue s'approcher à pas comptés,
jusqu'au cataclysme de 2008.

A-t-il été à la hauteur ? Aurait-il pu anticiper
la plus grave crise économique depuis 1929, un
cyclone financier qui, parti de Wall Street, allait
ravager le monde ? S'il a été pris de court, le président n'a pas démérité, loin de là.

Contrairement à beaucoup de ses homologues,
Sarkozy a tout de suite été alerté. Il a un secret :
ce sont ses « capteurs ». Même s'il passe ses
journées à courir d'une visite éclair dans une
usine des tréfonds de la France à un déjeuner de
travail à Londres, avant de remettre des décora-
tions à la chaîne au palais de l'Élysée, il reste
toujours disponible sur son portable pour les

« capteurs » qui lui donnent les dernières nouvelles du monde.

Le 9 août 2007, Alain Minc l'appelle :

« As-tu vu ce qui se passe sur les marchés financiers ? Franchement, ça ne sent pas bon ! »

Alain Minc est, comme le président, un indécrottable optimiste. Autrement dit, il sait qu'il faut se méfier de tout alors que le pessimiste, lui, le découvre tous les jours.

Cette nouvelle qui inquiète tant Alain Minc n'a pas fait la une des médias mais elle a ému, sur le coup, la plupart des connaisseurs de la chose monétaire. Entre le 27 juillet et le 7 août 2007, trois fonds gérés par BNP-Paribas ont perdu 23 % de leur valeur, trois fonds adossés à des crédits immobiliers dits « subprimes » accordés à des ménages américains, souvent endettés et insolvables.

Grosse alerte, ce 9 août : l'heure est si grave que, contrairement à tous ses principes, la Banque centrale européenne a soutenu le marché en injectant un montant record de liquidités dans le circuit monétaire de la zone euro : près de 95 milliards. Les Banques centrales d'Angleterre et de Suisse sont intervenues pareillement avant que la Federal Reserve américaine ne s'en mêle à son tour.

Jean-Claude Trichet, le président de la Banque centrale européenne, a les sangs qui le mangent. Cet homme posé et cultivé est devenu christique, à force d'être crucifié par tous les politiciens « volontaristes » du Vieux Continent, à commencer par Nicolas Sarkozy qui en fait le bouc émissaire de tous ses échecs, ce qui est compréhensible : il a toujours raison et ça fatigue tout le monde. Ainsi a-t-il observé que, depuis plusieurs décennies, la croissance américaine prenait son envol sur des bulles, l'Internet un jour, l'immobilier le lende-main, qui finissent toujours par crever. Dès janvier 2007, à Davos, il tire la sonnette d'alarme et, à partir de l'été suivant, son ton devient plus pres-sant. « En laissant filer les déficits, vous vous met-tez en risque maximum », répète-t-il aux dirigeants européens. À quoi Nicolas Sarkozy lui répond alors : « Vous êtes beaucoup trop orthodoxe ! Vous êtes obsédé par la rigueur ! »

C'est l'époque où des esprits avisés annoncent, comme lui, le pire. Ainsi, l'économiste américain Nouriel Roubini, ou le député socialiste Arnaud Montebourg, qui évoque dans un article prophé-tique pour *Le Figaro* « une crise générale du cré-dit, sans équivalent depuis des décennies[1] ».

C'est l'époque où Marc Ladreit de Lacharrière, patron de l'agence de notation Fitch, annonce à son ami François Fillon que la crise des sub-primes ne fait que commencer ; que le système financier permettant aux banques de se repasser à l'infini des crédits pourris, le monde entier ris-que d'être infecté ; que la France, avec ses déficits abyssaux et son endettement colossal, est en pre-mière ligne, en cas de tourmente financière.

Le 21 septembre 2007, en visite en Corse, François Fillon déclare : « Je suis à la tête d'un État qui est en situation de faillite sur le plan financier, je suis à la tête d'un État qui est depuis quinze ans en déficit chronique, je suis à la tête d'un État qui n'a jamais voté un budget en équi-libre depuis vingt-cinq ans. Ça ne peut pas durer. » Un acte fondateur : le fillonisme, avatar du barrisme, est né ; il ne reste plus qu'à le mettre en œuvre.

---

1. *Le Figaro*, 9 octobre 2007.

Trois fois de suite, Sarkozy appellera Fillon en hurlant : « Tu es complètement irresponsable ! Un pays comme la France n'est pas en faillite ! On n'a pas le droit de démoraliser les Français comme tu viens de le faire ! »

Fillon présentera sa démission à Sarkozy : « Écoute, je crois que ce serait plus simple que je parte. »

Après ce violent accrochage, le Premier ministre, sûr d'avoir raison, s'en tiendra à sa position, attendant pendant trois ans et demi que le président finisse par le rejoindre.

Le président reste, malgré son discours sur la « rupture » dans la continuité de ses prédécesseurs Chirac et Mitterrand. En résumé et en caricaturant à peine, il ne faut pas dire la vérité aux Français : ça dérangerait leur digestion ou ça leur casserait le moral, c'est selon. Dormez, les petits, dormez bien, l'État s'occupe de tout.

Certes, Sarkozy est conscient que l'État ne peut plus continuer à financer son train de vie et ses réformes sociales en empruntant sur les marchés, sans se soucier des générations futures qui auront un jour à payer les factures. Comme celle de la réduction du temps de travail, par exemple : à cause des allégements de charges accordés aux entreprises, la note des 35 heures s'élève théoriquement à 12 milliards d'euros par an, somme que l'on est en droit d'inclure, sans esprit de polémique, dans les 184 milliards que la France empruntera en 2011. Soit dit en passant, au crépuscule de son premier mandat, on n'a toujours pas compris pourquoi le président n'a pas mis fin à cette aberration que l'on peut résumer ainsi : « Travaillons moins, nos enfants paieront la note. »

Mais quand il s'agit de raboter ou de serrer la ceinture, il y a toujours quelque chose qui retient sa main. Un scrupule, une hésitation. Plus keynésien ou chiraquien qu'il n'y paraît, Sarkozy se demande toujours s'il ne pourra pas noyer l'endettement et les déficits dans un surplus de croissance bienfaitrice. Plus volontariste que nature, il a fait sienne l'analyse de Paul Krugman, prix Nobel d'économie 2008, qui, à propos des appels à la rigueur contre la hausse de la dette publique des États-Unis, a écrit : « L'élite des responsables politiques agit comme les prêtres d'un culte antique, exigeant que nous nous livrions à des sacrifices humains pour apaiser la colère des dieux invisibles[1]. »

Autant dire que Sarkozy est un keynésien. Mais sa culture des déficits sera mise à rude épreuve avec la crise des « subprimes »...

---

1. *The New York Times*, 20 août 2010.

25

Capitaine Courage

« Déploie ton jeune courage, enfant ; c'est
ainsi qu'on s'élève jusqu'aux astres. »

VIRGILE

L'adversité lui réussit. Quand tout va bien, il
s'enivre de ses succès jusqu'à l'infatuation, voire
au ridicule. Quand tout va mal, il prend de la
hauteur et surplombe les événements.

C'est ainsi qu'il a géré en Paganini du sauvetage
la crise financière que la cupidité de Wall Street
a inoculée au monde à travers un système qui, en
simplifiant, consistait pour les banques à prêter de
grosses sommes à des clients qui ne pouvaient pas
rembourser avant de refiler la dette, comme une
patate chaude, à un autre établissement, lequel la
revendrait à un troisième et ainsi de suite.

Depuis la dérégulation du début des années
2000, toutes les banques du monde se sont vau-
trées dans la spéculation, plaie de l'humanité. Si
elles avaient été honnêtes, elles auraient changé
leur nom : elles ne faisaient ni de l'investissement
ni des affaires, comme le prétendait leur raison
sociale, mais de la spéculation pure et simple,
comme le boursicoteur le plus cupide et le plus
dénué de scrupules.

Dans ce nouveau « métier », si l'on ose dire, les
banques ont gagné à tous les coups, sans prendre

le moindre risque, puisqu'elles faisaient porter par d'autres établissements tous leurs produits pourris. Elles se sont ainsi bien gavées, avec une avidité jamais assouvie, le foie saturé et la conscience tranquille. Jusqu'à l'effondrement de 2008…

Nicolas Sarkozy a fait preuve, pendant cette période, d'un esprit de décision et d'une aptitude impressionnante à la négociation. On peine à l'écrire, tant il a fait l'article pour célébrer son action, mais force est de constater qu'il a pris, à cette occasion, une dimension historique.

Ses courtisans n'ont pas manqué de donner des coups d'encensoir encore plus appuyés que d'ordinaire. Laurent Wauquiez, le secrétaire d'État à l'Emploi, a dit sans rire que le président était un « Capitaine Courage tenant fermement le gouvernail ». Jean-Louis Borloo, le ministre de l'Écologie, a déclaré très sérieusement : « Sarkozy est peut-être en train de sauver le monde. » Le député Benoist Apparu, qui sera récompensé ensuite par un secrétariat d'État, mérite, lui, le pompon : « Les crises ont révélé Napoléon et de Gaulle, et révèlent aujourd'hui Nicolas Sarkozy. »

Sur ce coup-là, en se livrant à un concours d'obséquiosité, les sarkozystes ne se sont pas aidés eux-mêmes. Je me souviens pourtant n'avoir pas protesté quand Alain Minc, l'ami du président, m'avait dit, avec un regard énamouré : « À cause de la nullité américaine, tout était entre les mains de ce petit Français. Il ne s'en est pas seulement bien sorti, il a surtout rendu un fier service au monde entier. »

Il n'y a pas de meilleur ami au monde qu'Alain Minc. Les siens ont de la chance. Si, un jour, ils commettent un crime, ils peuvent l'appeler en pleine nuit ; il viendra et s'occupera du cadavre.

Il n'abandonne jamais, surtout quand la cause est perdue. Il met là son orgueil et son honneur. Son goût de la provocation aussi.

Dans cette affaire, on ne peut cependant lui donner vraiment tort. Après que j'eus demandé un jour à Alain Minc pourquoi le président avait si bien réussi, il me répondit en troussant une métaphore d'amateur de tennis : « Le problème de Nicolas Sarkozy, c'est qu'il est tout le temps au filet et qu'il ne s'en éloigne jamais à plus de cinquante centimètres. Le fond de cour, il ne connaît pas. L'attentisme non plus. C'est pourquoi il est si bon face aux crises. »

Sans doute est-ce la raison de son « sans-faute » pendant la crise financière. Il est saisi, dès les premières convulsions de Wall Street, d'une sorte de rage, comme celle qui l'anime d'ordinaire, par temps calme, et qui semble si incongrue. Il est tout le temps sur le pont, mais là au moins, il y a une raison : le monde est en train de trembler sur ses bases, rongées par les « subprimes ».

Le 27 août 2008, devant les ambassadeurs de France réunis comme chaque année au complet et alors que la crise n'a pas encore vraiment éclaté, il dénonce les « dérives » du capitalisme financier, son absence de régulation et, chose étrange, les agences de notation dont viendrait tout le mal.

Le 22 septembre, tandis que la planète financière est en état de choc après la faillite de la banque Lehman Brothers, il déclare à New York, devant le gotha réuni par la Fondation Elie Wiesel : « Qui est responsable du désastre ? Que ceux qui sont responsables soient sanctionnés et rendent des comptes. » La formule qui fera le tour du monde ne sera, bien sûr, jamais suivie d'effets.

Le lendemain, toujours à New York, à la tribune de l'ONU, à l'occasion de la 63e assemblée générale des Nations Unies, il plaide pour « la reconstruction d'un capitalisme régulé où des pans entiers de l'activité financière ne sont pas laissés à la seule appréciation des opérateurs de marché », avant de réclamer des « sanctions » pour les goinfres en tout genre qui ont ruiné tant de petits épargnants.

Sarkozy amorce là un nouveau personnage : le dirigiste succède au libéral. Il est très applaudi sur les bancs du tiers-monde. Devant la débâcle en marche que rien ne semble devoir arrêter, il se sent comme trahi par le système qu'il portait aux nues. Il y a chez lui une révolte qui n'est pas feinte, même si elle lui passera, comme tout. Après un an de contorsions et de flottements, le président a donc décidé de se réinventer pour le plus grand bonheur d'Henri Guaino, sa plume d'or, à qui il a demandé d'écrire un discours de refondation.

Ce sera le discours de Toulon. Un texte de rupture et de haute volée où l'on retrouve le lyrisme jauressien de la déclaration de la porte de Versailles...

26

La conversion du Sicambre

> « Gardez-vous de demander du temps ; le
> malheur n'en accorde jamais. »
>
> MIRABEAU

Si Nicolas Sarkozy a des sincérités, elles sont
successives. Sa légende noire en fait un héritier
ultralibéral de Margaret Thatcher, un couteau
entre les dents avec du sang dessus, du sang de
pauvre. Il est, au contraire, un disciple de Tony
Blair. Autrement dit, un opportuniste, assez étatiste, vaguement social et plutôt libéral. Les trois
en un.

Il ne pouvait donc être pris de court par la crise
financière, comme les idéologues à la Bush. Il
retombait forcément sur un de ses pieds. Le sarkozysme est, en réalité, un avatar du blairisme.
Avant son accession à l'Élysée, j'ai souvent
entendu Sarkozy répéter les conseils que Blair lui
avait prodigués : « Quand tu seras élu, les bons
esprits te diront que tu dois prendre du champ
par rapport au parti. Ne commets pas mon
erreur, n'écoute personne, restes-y, ne lâche rien,
il faut que tu en gardes la présidence. Sinon, tu
auras des tas d'ennuis qui te feront perdre ton
temps. »

Sur ce point comme sur d'autres, il a essayé
d'écouter Blair. Sans doute Sarkozy n'est-il pas

toujours en phase avec cette Grande-Bretagne où personne ne prend rien au sérieux, fors la patrie, aurait dit Churchill. Mais il s'identifie parfaitement au Premier ministre travailliste qui n'a d'autre idéologie qu'un pragmatisme à toute épreuve.

Il aime tout chez Blair. Son absence d'œillères, mais aussi sa rapidité d'action, sa jeunesse insolente, son cynisme doux et souriant qui ont fait de lui l'un des plus grands dirigeants britanniques de l'après-guerre.

Le 2 décembre 2002, alors qu'il est ministre de l'Intérieur sous Chirac, il réussit, par l'entremise de Peter Mandelsohn, à rencontrer Tony Blair. Quinze minutes. Le courant passe bien entre les deux hommes. Ils étaient faits pour s'entendre.

Après leur entretien, Tony Blair demandera à son ami Mandelsohn : « Qui est ce type que tu m'as envoyé et qui est tellement plus à gauche que moi ? »

Nicolas Sarkozy a été mêmement fasciné par Felipe González, la statue du Commandeur des socialistes espagnols, qui fut l'un des présidents du Conseil les plus marquants de l'histoire de son pays. Un Blair avant l'heure, avec le charme sombre et puissant d'un hidalgo andalou.

Le chef de l'État s'était mis en tête de l'installer comme président du Conseil européen. González aurait sans doute fait de l'ombre à tout le monde, mais c'eût été l'homme-symbole et l'homme-orchestre idéal pour le Vieux Continent. Il a rejeté la proposition de Sarkozy avec un argument massue : « Moi ? Aller à Bruxelles ? Je ne me vois pas vivre dans une ville où le ciel est bas. »

Si l'on considère que Blair et González sont depuis longtemps ses deux maîtres en politique, on comprend bien que Sarkozy n'a jamais été le conservateur ultralibéral et hyperpopuliste que ses ennemis décrivent à l'envi.

Il a des convictions. Il semble même prêt à se faire tuer pour elles et ne pardonne jamais à ceux qui ne les partagent pas. Mais il en change comme de cravate ou d'ami. C'est un nouveau politique. Il fait son marché dans la grande surface des idées et n'achète jamais deux fois la même chose.

C'est ainsi qu'il a opéré son grand virage idéologique en moins de temps qu'il ne faut pour l'écrire. Le monde a changé ; lui aussi. Désormais, il sera étatiste. Avant même que la crise n'arrive à son paroxysme, il fixe, à Toulon, sa nouvelle ligne à rebours de celle de sa première année de mandat.

Tous les siens ont participé à l'écriture du discours, le moindre n'étant pas Henri Guaino que ses détracteurs présentent souvent comme un prophète donquichottien qui se prendrait pour Henri Guaino. Il a la main et en profite pour marquer un point contre Alain Minc, ami de toujours et conseiller du soir de Sarkozy, qui a publié, il y a quelque temps, un essai brillant, à sa façon, intitulé : *La Mondialisation heureuse*[1].

Ainsi Guaino fait-il dire à Sarkozy, le 25 septembre 2008, à Toulon :

« Cette crise financière marque la fin d'un monde (…) porté par un grand rêve de liberté et de prospérité. La génération qui avait vaincu le communisme avait rêvé d'un monde où la démocratie et le marché résoudraient tous les problèmes de l'humanité. Elle avait rêvé d'une mondialisation heureuse qui vaincrait la pauvreté

---

1. Plon, 1997.

et la guerre (…). Au fond, c'est une certaine idée de la mondialisation qui s'achève avec la fin du capitalisme financier qui avait imposé sa logique à toute l'économie et avait contribué à la pervertir. L'idée de la toute-puissance du marché qui ne devait être contrarié par aucune règle, par aucune intervention politique, cette idée de la toute-puissance du marché était une idée folle. »

Après quoi, Sarkozy dresse un tableau sans pitié de toutes les folies du système. La logique de la rentabilité financière à court terme qui impose sa loi aux entreprises qu'elle vide de son sang. La course aux rendements exorbitants, trois ou quatre fois plus élevés que la croissance de l'économie, qui met l'industrie KO debout. La priorité donnée partout au spéculateur sur l'entrepreneur.

On croirait entendre Mitterrand quand, vingt ans et quelque plus tôt, il cherchait à moderniser et à ravaler son socialisme en parlant d'« économie mixte » ou d'« économie sociale de marché ». Au détail près que Sarkozy ne récuse pas le capitalisme. Estimant qu'il a été trahi, il veut simplement le refonder, mais en réinstallant l'État, en réglementant les banques, en contrôlant les rémunérations des dirigeants ou en mettant en question les ventes à découvert qui permettent aux spéculateurs de vendre des titres qu'ils ne possèdent pas. Autrement dit, de spéculer sans risque. En somme, il s'affiche désormais dirigiste.

Il le devient tellement qu'il garantit, dans ce discours, les dépôts des Français dans les banques, les compagnies d'assurance et les établissements financiers : « L'État est là et l'État fera son devoir. »

Lors de la phase de préparation du discours de Toulon, une partie de ses conseillers était vent

143

debout contre le principe d'une garantie de l'épargne par l'État : selon eux, cette annonce risquait de provoquer la panique des déposants tout en prenant la puissance publique en otage. Trop dangereux. Pour d'autres, au contraire, il était impératif de rassurer tout de suite les épargnants. Sarkozy a préféré écouter ceux-là qui, comme Alain Minc, plaidaient pour le volontarisme et le retour de la puissance publique.

Ainsi a-t-il réinventé, à Toulon, le capitalisme et le sarkozysme. Tout le monde était si troublé et occupé, à l'époque, que nul n'eut l'idée d'évoquer à son propos la grande phrase historique qui s'impose. C'est l'apostrophe à Clovis de saint Remi, archevêque de Reims, le jour de Noël 496 où, en le baptisant, il fit de ce Barbare un Franc : « Courbe la tête, fier Sicambre, adore ce que tu as brûlé, brûle ce que tu as adoré. »

27

Photo de famille

« Rien ne ressemble plus à un courageux qu'un inconscient, surtout quand c'est un paon. »

Jehan Dieu de la VIGUERIE

Nicolas Sarkozy est-il l'homme qui a empêché une apocalypse financière mondiale ? C'est ce que répètent d'une même voix ses amis, ses ministres et, bien sûr, ses courtisans.

Certes, avec la crise, tous les défauts du président se sont transformés en qualités. Quand rien ne va plus, rien ne vaut ce mélange d'égotisme, de culot et d'activisme, voire d'hystérie, qui, depuis toujours, mène Sarkozy.

Mais l'histoire officielle du sarkozysme, soucieuse de ne pas faire d'ombre à son chef, aura vite oublié tous ceux qui ont eu leur part dans la bataille contre le krach annoncé. Par exemple, Jean-Claude Trichet et Benjamin Bernanke, respectivement présidents de la Banque centrale européenne et de la Réserve fédérale américaine. Ils ont toujours été au front. Quant à Gordon Brown, le Premier ministre britannique, il a été le grand concepteur de la stratégie européenne : c'est son plan qui a, ensuite, servi de modèle au Vieux Continent.

Nicolas Sarkozy, lui, fut à la manœuvre et il faut être de mauvaise foi pour ne pas reconnaître qu'il a excellé, dominé, inventé, bluffant jusqu'à ses pires ennemis.

Les établissements bancaires étant dépassés par les événements qu'ils ont eux-mêmes provoqués, par leur cupidité, le président prendra tout en main, sans retenue aucune.

Quelques jours après son discours de Toulon, le 30 septembre exactement, à cinq heures du matin, il convoque à l'Élysée une réunion de crise avec François Fillon, le Premier ministre, et Christine Lagarde, la ministre de l'Économie. Objectif : sauver Dexia, la banque franco-belge menacée de faillite. Un plan de sauvetage sera échafaudé in extremis pour la recapitaliser avant l'ouverture de la Bourse.

Après que son équipe de direction eut été limogée, le président, fort des trois milliards d'euros apportés par l'État et la Caisse des dépôts, installera l'un des siens à la tête de l'établissement : Pierre Mariani, son ancien directeur de cabinet au ministère du Budget en 1993. Tant pis pour les promesses électorales sur l'« État irréprochable » : la campagne est loin, il s'agit maintenant de se mettre à l'heure de Toulon, celle de l'ultra-interventionnisme au nom duquel il placera désormais ses hommes partout.

Précisons néanmoins que Pierre Mariani a ensuite fait des étincelles à la banque Dexia qu'il a redressée, après l'avoir débarrassée de ses actifs à risques. Bonne pioche, donc. Le président a parfois la main heureuse.

Le même jour, Sarkozy reçoit les banquiers et les assureurs de l'Élysée. Pas pour les écouter mais pour leur passer un savon : « Vous qui avez fait les grandes écoles et êtes tous à bac + 24 ou plus (rire), ça fait des années que vous achetez n'importe quoi aux États-Unis et aujourd'hui que

ça va mal, vous venez tendre la sébile à l'État ! »
La plupart repartent furieux. Apparemment, il a
rompu avec l'ère du Fouquet's.

Le 1er octobre, François Fillon évoque dans le
quotidien *Les Échos* « une crise financière équi-
valente à celle de 1929 qui se cumule avec un choc
pétrolier proche de celui de 1973 ». En adoptant
un discours churchillien avec, cette fois, l'accord
de Sarkozy, le Premier ministre sonne le glas de
la logique TVB (« Tout va bien »), incarnée par
Christine Lagarde, ministre de l'Économie, que la
place surnomme le « Perroquet » parce qu'elle
répéterait les récitations que le chef de l'État lui
a apprises.

Le 4 octobre, alors que les Bourses n'en finissent pas de dégringoler et que d'autres banques
sont au bord de la faillite, c'est le branle-bas de
combat. Sarkozy continue de s'agiter en tous
sens. C'est l'époque où le téléphone sonne sans
arrêt, la nuit, à son domicile particulier. C'est
l'époque où il répète tout le temps la même formule dont il est apparemment très fier : « Mitterrand s'est fait élire pour jouir du pouvoir. Chirac,
pour faire tranquillement la sieste. Moi, c'est pour
agir. » En sa qualité de président de l'Union européenne, il a ainsi organisé en toute hâte un mini-
sommet de crise à l'Élysée pour imaginer une
riposte concertée du Vieux Continent au séisme
en cours.

Une drôle de réunion de famille. Elle a quelque
chose de pathétique avec ces fantômes endi-
manchés qui affichent de faux sourires sur leurs
visages blafards et tirés. Sans parler de Silvio Berlusconi, le mirobolant président du Conseil italien, qu'une opération de chirurgie esthétique
a rendu méconnaissable et qui a l'assurance
d'un robot de film de science-fiction. Ni d'Angela

Merkel, la ronchonne chancelière allemande, qui fait ostensiblement la gueule et que tout le monde regarde comme une génisse que l'on va conduire à l'abattoir avant de la désosser puis de la manger.

Elle n'a pas confiance en ses partenaires. À juste titre, si l'on en juge par le déficit budgétaire ou l'endettement public d'un certain nombre d'entre eux, comme la France. Elle redoute qu'ils ne songent qu'à dépouiller l'Allemagne qui, depuis si longtemps, mise sur la rigueur et en tire les premiers fruits. Par exemple, il n'est pas question pour elle d'accepter l'idée franco-néerlandaise de créer un fonds européen de garantie de 300 milliards d'euros. Elle refuse de payer pour les autres. Comme elle ne veut pas entendre parler non plus d'un gouvernement économique européen, ce sera un mini-sommet pour rien à l'heure où la Chambre des représentants vient, aux États-Unis, de voter le plan Paulson : 700 milliards de dollars pour résister à la tempête financière.

Pour avancer, Nicolas Sarkozy a toujours, on le sait, besoin de haïr. Jusqu'à présent, il vomissait les agences de notation, coupables, selon lui, de n'avoir pas vu venir la crise. Il a trouvé un nouveau bouc émissaire : Jean-Claude Trichet, président de la Banque centrale européenne et « Père-la-rigueur » du Vieux Continent, qui lui tient tête comme il a toujours tenu tête à tous les gouvernants français qu'il juge laxistes, voire irresponsables. Sans doute faut-il expliquer cette exécration par l'ombre que lui fait Trichet. Tout le monde s'accorde à dire qu'il avait vu venir la crise avant tout le monde, donc avant Sarkozy, et qu'il mène avec habileté la bonne stratégie en inondant de liquidités les marchés financiers.

148

Entre Merkel et Sarkozy aussi, les rapports sont détestables, malgré les sourires et les tapes dans le dos pour la galerie. Le mercredi suivant, elle réagira au demeurant très mal au titre qui barre la une du *Canard enchaîné* : « Sarko : Merkel m'a dit : "Chacun sa merde" ». En page 2 de l'hebdomadaire satirique sont rapportés des propos du président français : « C'est peut-être un échec, mais ce n'est pas le mien. C'est celui de Merkel. Elle n'a jamais voulu d'un fonds européen de sauvetage. Elle a dit : "Chacun sa merde." » La chancelière a téléphoné à Sarkozy pour lui faire part de son courroux et démentir les propos qui lui étaient attribués[1]. Il a bredouillé quelques mots et ils ont mis un mouchoir sur l'outrage.

En attendant, le G4 fut en effet un fiasco, un grand fiasco.

Nicolas Sarkozy a beaucoup discouru pendant ce mini-sommet. Notamment contre le « capitalisme des spéculateurs ». Mais il n'en est rien sorti, ce qui, bien sûr, ne l'a pas empêché de triompher en privé : « Mon discours de Toulon est devenu la ligne européenne. » Même si sa clique médiatique a entonné ses louanges et célébré son succès, ce fut un échec. Il n'a pas réussi à arracher une seule décision à Merkel, Brown, Berlusconi et consorts. Rien de concret. Juste une photo de famille sur le perron de l'Élysée et quelques mots dans un communiqué insipide.

Mais il n'a pas dit son dernier mot...

---

1. Cf. l'article de Sylvie Pierre-Brossolette dans *Le Point*, 16 octobre 2008.

28
L'homme qui arrêta la mer

« Il ne faut jamais s'asseoir sur sa victoire :
c'est un fauteuil qui ne tient pas. »

Angelus MERINDOLUS

Nicolas Sarkozy ne s'avoue jamais vaincu et, pendant cette période, fait régulièrement mentir Montaigne qui disait : « L'obstination et ardeur d'opinion est la plus sûre preuve de bêtise. »

Quand bien même s'agirait-il de bêtise, elle serait très positive et très productive. Après l'échec du G4 qui a déprimé davantage encore les marchés, si c'était possible, Sarkozy décide d'organiser la semaine suivante une réunion de l'Eurogroupe avec un invité surprise : Gordon Brown, le Premier ministre britannique.

Tout le monde se retrouve, à l'Élysée, dans un climat de fin du monde. Les marchés sont au plus bas et l'Amérique est à la dérive : après la faillite de Lehman Brothers, une autre gloire de Wall Street, Morgan Stanley est au bord du précipice.

Henry Paulson, le secrétaire au Trésor américain, a certes pris la mesure de la situation. S'il a sous-estimé le choc psychologique provoqué par la banqueroute de Lehman Brothers qu'il a laissé faire, il n'a de cesse, depuis, de se rattraper. Son nouveau plan de sauvetage qui s'élève à 1 200 milliards de dollars, soit 8 % du PIB des

États-Unis, comprend notamment la nationalisation des agences de refinancement hypothécaire Freddie Mac et Fanny Mae, ainsi que celle de l'assureur AIG. Mais le Congrès rechigne à renflouer Wall Street, à quinze jours des élections, et George Bush semble toujours en coma dépassé.

Les marchés restent aux abois. Les épargnants aussi. Le vendredi, les premiers signes de panique sont apparus avec des retraits d'espèces dans les banques, comme pendant la crise de 1929. L'information n'a pas été ébruitée, mais elle fait trembler tous les dirigeants de la planète.

C'est dans ce contexte que les représentants des pays de la zone euro se retrouvent, le dimanche 12 octobre, à l'Élysée, avec Gordon Brown, l'homme qui empêcha Tony Blair d'adhérer à l'euro. Il n'a pas été invité seulement en qualité de Premier ministre de la City, la plus grande place financière du Vieux Continent, mais surtout en tant qu'architecte du plan britannique dont l'Europe va s'inspirer pour sortir de la crise.

Parangon du social-libéralisme, Gordon Brown s'est mué, d'un coup, en ultra-dirigiste. À la manière de Nicolas Sarkozy, mais plus nettement encore. Il a échafaudé la mécanique, le président français se chargera de l'orchestration politique. L'alliance traditionnelle de la tête et des jambes...

En trois heures et quelque, Nicolas Sarkozy a fait adopter le plan brownien pour l'Eurogroupe : injection de liquidités dans le système financier, garantie des emprunts dont les banques ont besoin pour se refinancer ou pour prêter aux entreprises ainsi qu'aux particuliers, recapitalisation par les États de toutes les banques en perdition.

Avec ce plan, l'Europe mobilise, sous forme de garanties, près de 1 700 milliards d'euros. Plus que le plan Paulson. C'est un coup de bluff, une escroquerie intellectuelle : l'accord repose sur la parole donnée par les États qui sont tous à court d'argent.

Qu'importe. Les marchés gobent l'initiative européenne et, le lendemain, s'envolent sur tous les continents. À eux deux, Brown et Sarkozy ont bien mérité de la planète.

Sarkozy a prouvé qu'il était capable, contrairement à ce qu'on aurait pu penser, de laisser son ego de côté. Il a même su faire preuve d'humilité. Tout à la fois mobile, rapide et pragmatique, il est apparu, comme l'a dit Jean-Claude Juncker, président de l'Eurogroupe, comme un « pilote qui sait agir vite et qui sait changer de direction lorsque la situation l'exige ». « J'assume depuis 1982 des responsabilités européennes, ajoute Juncker, et je n'ai jamais vu l'Europe être menée avec autant d'intensité. »

Après ça, plus besoin d'autocélébration. Sarkozy change de dimension. La preuve, pour une fois, il ne se pousse plus du col en roulant des mécaniques. Le 21 octobre, devant le Parlement européen, il rend hommage à Angela Merkel aussi bien qu'à José Luis Zapatero (« C'est lui qui a eu l'idée d'organiser une réunion de l'Eurogroupe »).

À défaut d'obtenir un vrai consensus en France, le président en exercice de l'Union fait l'unanimité ou presque en Europe. Jusqu'au président du Parti socialiste européen, Martin Schulz, qui le couvre d'éloges devant le Parlement de Strasbourg : « Vous avez bien agi, nous avons été impressionnés par votre détermination. »

Après l'avoir béni, Schulz lui propose en souriant la carte de son parti : « Le président Sarkozy a parlé comme un véritable socialiste européen.

152

Vous trouverez des formulaires d'inscription à la sortie.

— Convenez que vous ne parlez vraiment pas comme un socialiste français, répond Sarkozy. Dans le schisme socialiste, je choisis M. Schulz sans regrets ni remords. »

Après une première année catastrophique à l'Élysée, Nicolas Sarkozy s'est sublimé avec la tourmente financière qu'il a contribué à maîtriser. Tout au long de la crise, l'homme qui arrêta la mer a révélé une autorité et une prescience que nul n'aurait soupçonnées. Jusqu'alors, les événements l'avaient fait. Pendant quelques semaines, il a fait les événements.

Il n'a plus grand-chose à voir avec l'agité du bocal qui, il n'y a pas si longtemps, faisait sourire et inspirait même une certaine compassion à force de vouloir être sur la photo, avec la main dans le dos des grands de ce monde, lors des sommets internationaux.

Le ludion des premiers temps a gagné en maturité et en grâce. C'est sans doute pourquoi il fait plus volontiers référence au général de Gaulle dans ses discours : « Le gaullisme, c'est une leçon de sang-froid face à la crise ; le gaullisme, c'est le mot par lequel nous désignons en France la volonté. »

Il semble plus altier, désormais. Mais le naturel ne se laisse jamais chasser ; il est encore là, tout proche, prêt à revenir au galop...

29

Cavalier seul

« Tel qui veut se griser d'air pur, s'enivrer
sur les hauteurs, n'arrive qu'à s'enrhu-
mer. »

Jules RENARD

« Imaginez ce qui se serait passé si nous
n'avions rien fait ! » C'est la phrase que Nicolas
Sarkozy répète sans cesse à ses collaborateurs ou
à ses ministres depuis son dimanche de gloire,
quand il a mis fin, avec ses collègues européens,
au cataclysme financier.

Il est enfin, pour de vrai, le « taulier du
monde ». Cela durera le temps que durent les
reines d'un jour, voire un peu plus, au rythme des
coups de téléphone de félicitations de tous les
dirigeants de la planète, à commencer par George
Bush Junior.

Tous ceux qui le côtoient pendant cette période
sont frappés par l'espèce d'autorité qui l'habite. Il
assure. Le lendemain de la réunion de l'Eurogroupe, il convoque un Conseil des ministres qui
adopte la version nationale du plan européen :
360 milliards d'euros pour porter secours aux
banques afin qu'elles renforcent leur capital et se
refinancent sur les marchés.

Financé par la dette, le plan Sarkozy ne doit
rien coûter aux contribuables, l'État se réservant

le droit de revendre plus cher, après la crise, les participations qu'il a prises dans les banques. Ce qui sera au demeurant le cas.

Après la France, le « taulier du monde » entend désormais passer au stade supérieur. Le samedi, il file à Washington et arrache à George Bush son accord pour l'organisation d'un super-sommet international, un G20, sur la crise financière. « Nous ne voulons pas perdre de temps, dit-il, flanqué de José Manuel Barroso, le président de la Commission européenne. On ne peut plus continuer avec les mêmes causes qui produisent les mêmes effets. »

Sur quoi, il ira plaider la bonne cause à Pékin, quelques jours plus tard. L'ébouriffant globe-trotter a des projets mirobolants, sinon outrecuidants. La « refondation » de ce capitalisme « sans foi ni loi ». Une refonte des systèmes monétaires et financiers. Un contrôle des rémunérations spéculatives et une mise au pas des « paradis fiscaux ».

Sur le plan européen, il prône la création d'un fonds souverain qui rachète des actifs stratégiques dépréciés pour les remettre sur le marché, une fois la crise passée, ce qui, aux yeux des libéraux, rappelle le temps honni du capitalisme d'État, voire du socialisme d'antan. Le président français est également partisan d'un gouvernement économique européen, au grand dam d'Angela Merkel qui, on l'a vu, redoute un nivellement par le bas, c'est-à-dire un laxisme généralisé.

On peut tourner la chose dans tous les sens, Nicolas Sarkozy n'aura pas été, au paroxysme de la crise, un politicien banal. Il a des solutions, souvent détonantes, et il les défend avec l'autorité de la compétence, jusqu'à la limite de ses forces. On se frotte les yeux. Ce n'est plus le même, puant de gloire et abusant du crachoir. Il n'a plus rien à voir avec l'ami des riches et des stars, l'olibrius avantageux de la bande du Fouquet's. Il s'est surpassé, comme s'il avait enfin trouvé une forme de transcendance qui lui manquait. Il a fait exister l'Union européenne. Il a porté son cadavre en faisant croire qu'elle respirait encore.

Mais il ne fut pas tout seul à porter ce cadavre. La clique sarkozyste oublie toujours, dans son concert de louanges, les hommes clés qui, comme Brown ou Trichet, on l'a vu, ont fourni au président des éléments essentiels de sa stratégie et qui auraient aisément pu le suppléer.

Elle oublie aussi que Barack Obama et Hu Jintao ont fait leurs petites affaires, dans l'arrière-cour du G20, pendant que Nicolas Sarkozy paradait sur les estrades.

Elle oublie enfin que la plupart des belles paroles du président français sont restées en l'air et qu'il a mouliné du vent : le super-sommet qu'il appelait de ses vœux et qui s'est tenu à Washington, le 15 novembre 2008 – un G20 pour rien ou presque. Il n'en restera qu'une vague déclaration fiscale, désignant les responsables de la catastrophe financière.

Les coupables, selon le G20, sont, outre la « recherche de rendements plus élevés », « les responsables politiques, les régulateurs et les superviseurs » : « dans certains pays avancés », ils n'ont pas « apprécié les risques de manière adéquate ». Qu'en termes empesés ces choses-là sont dites !

Pour le reste, autrement dit la transparence et la régulation, on verra plus tard. On a vu. Nicolas Sarkozy a donné cent jours à ses partenaires du G20 pour élaborer des propositions de réformes du système financier mondial. Quelques années plus tard, on en est à peu près au même point. Quant aux sanctions qu'il réclamait si fort, il a rapidement cessé d'en parler.

Le président français n'a que la voix de son poids. Il est à la tête d'un pays que l'un de ses prédécesseurs, Valéry Giscard d'Estaing, reléguait naguère, au milieu des cris d'orfraie, au rang de « puissance moyenne » et qui, depuis, n'a fait que rapetisser. Il a donc prêché dans le désert.

Il pouvait peu, mais il a essayé. Même si sa passion de la communication l'a gâchée, là est sans doute la plus belle page du sarkozysme. Elle a mis au jour son caractère, sa créativité, son insolente ténacité et sa capacité, jusqu'à certaines limites, à entraîner les autres. De là à en faire un prophète qui avait tout prévu, il y a un pas que nous ne franchirons pas.

L'Histoire retiendra en effet que ni Sarkozy ni aucun dirigeant européen n'a demandé aux États-Unis de garantir les crédits dès 2007 quand a éclaté la crise des « subprimes ». Il fallait couper le feu. Occupée par ses petites affaires, la vieille Europe a laissé courir.

Elle aurait sans doute pu arracher sans trop de difficulté cette garantie des crédits par l'État américain à un George Bush au bout du rouleau. Et si ç'avait été le cas, les banques, détentrices de ces crédits, n'auraient pas été prises de panique l'année suivante.

Ce n'est pas tout. Après que la crise, venue de Wall Street, a fait boule de neige, la vieille Europe est tout de suite apparue comme la grande perdante. Elle a payé pour les autres. Tandis que l'Amérique et la Chine tentaient de retrouver la croissance d'antan sur son dos, par la dévaluation

compétitive, elle n'a finalement tiré aucun avantage du talent et du panache de l'homme qui a
arrêté la mer.

Il est venu, il a vaincu. Mais il n'a pas
engrangé...

30

Retour sur terre

> « Au cimetière de la gloire, il n'y a pas de
> concession à perpétuité. »
>
> Eugène LABICHE

Après chaque sommet, Nicolas Sarkozy se félicite toujours. De lui, de tout. Il en ressort grisé,
épris de lui-même. À juste titre. Il a généralement
fait le show en feignant, au surplus, de tirer toutes
les ficelles.

Il a tombé la veste, mis la main dans le dos du
président américain ou fait des papouilles à la
chancelière allemande, de préférence devant les
caméras, cela va de soi. Il a été dans son élément.
D'où cette autocélébration permanente teintée
d'euphorie, qui relève du comique de répétition,
même si, apparemment, elle n'amuse pas ses partenaires.

Dans un reportage pour *Le Journal du dimanche*[1]
intitulé « Sarkozy en maître du monde ! », Claude
Askolovitch a raconté drôlement la méthode du
président français pendant le sommet du G20 à
Washington :

« Sarkozy chapitre ses partenaires, les maîtres
du monde. "À la sortie, il faut qu'on délivre tous
le même message." Il brandit un papier. Il leur

---

1. Le 16 novembre 2008.

parle – à Bush, Lula, Merkel, Brown, Hu Jintao –
comme s'il les briefait pour un meeting. »

Puisqu'il l'a demandé, obtenu et animé, Nicolas
Sarkozy qualifie donc le G20 de Washington
d'« historique ». Il est vrai qu'il fait l'Histoire, le
président français. Mais il faut toujours qu'il en
rajoute.

Au G20 de Londres, le 2 avril 2009, il a même
fait mieux. Après avoir menacé de quitter le sommet s'il tournait en rond, il s'est ensuite arrogé
son bilan, qui n'est pas mince, il est vrai. Qu'il
s'agisse de la fin du secret bancaire, de la surveil-
lance des fonds d'investissement spéculatifs
(*hedge funds*) ou de la régulation des établissements bancaires, les dirigeants de la planète ont
fait quelques petits pas.

Il n'en a pas fallu plus pour que Nicolas Sarkozy décrète : « Les résultats vont au-delà de ce
que nous pouvions imaginer. »

Sans oublier de souligner son propre rôle pour
arracher des concessions aux uns et aux autres,
notamment au Chinois Hu Jintao, il n'hésite pas
à parler d'« avancées jamais vues ». « Ce que je
vous annonce, clame-t-il, c'est un changement
considérable. Si ce n'est pas la moralisation et la
refondation du capitalisme, qu'est-ce que c'est ? »

On peut sourire et contester sa priorité donnée
à la communication qui l'amène à toujours favo-
riser le faire-savoir, au détriment du savoir-faire.
Il reste qu'il en a jeté, pendant cette période. Il a
fait impression à peu près partout dans le monde.
Sauf en France.

Certes, les dirigeants du monde ricanent souvent, sous cape, de son ego hypertrophié. Mais ils
lui reconnaissent presque tous des qualités que
les Français lui dénient, désormais. C'est que le
système Sarkozy prend eau de toutes parts.

Sarkozy n'a que ce qu'il cherchait. Il a décidé de faire tous les métiers en même temps : DRH du PAF, directeur des programmes des chaînes de télévision, secrétaire d'État aux Choux farcis, actionnaire principal des banques françaises, chanoine d'honneur de la basilique de Latran, imprésario de Patrick Sabatier, président des grands groupes de presse, chef de la Police nationale, sauveur des finances mondiales, président du Conseil général des Hauts-de-Seine. J'arrête là, la liste est interminable. De surcroît, il n'a cessé d'humilier, d'admonester ou de ridiculiser ses ministres, les serpillières du régime. Il a interdit à son chef de gouvernement d'exister. Personne, autour de lui, n'a osé ouvrir la bouche, fût-ce pour le soutenir : le chef de l'État souffre à peine les éloges.

Quand on veut être au centre de tout, on est au centre de rien. C'est la faillite d'une méthode de gouvernement. Sarkozy est certes l'un des meilleurs sinon le meilleur communicant de sa génération. Mais comme il ne veut pas partager le micro avec François Fillon ni avec personne, son pouvoir ne parvient pas à se faire entendre par l'opinion. Il ne supporte d'écouter qu'une seule voix, la sienne. C'est pourquoi il parle tout le temps, chaque jour que Dieu fait.

Dès le premier Conseil des ministres, il a prévenu les membres du gouvernement, sur un ton menaçant : « On ne vous reprochera jamais de ne pas parler. En revanche, si vous parlez et que vous commettez une erreur ou dites une bêtise, avec le Premier ministre, on saura trancher. »

Tel est sa conception du pouvoir : silence dans les rangs, c'est moi qui parle.

C'est ainsi que son pouvoir sera victime de plusieurs erreurs incroyables de communication.

Sur le bouclier fiscal ou sur d'autres questions, parce qu'à force de monopoliser la parole, il a laissé le champ libre à l'opposition.

Giscard avait Barre auprès de lui. Mitterrand, Delors ou Rocard. Sarkozy ne s'accommode que de zombies ou de « perroquets ». « Monsieur-je-fais-tout-moi-même » ne sait pas répartir les rôles et l'expérience ne lui a rien appris. Il en est convaincu : si sa cote baisse dans les sondages, par exemple, c'est, entre autres, à cause de François Fillon qu'il n'a cessé de brider depuis qu'il l'a nommé à Matignon.

« Tu ne me protèges pas », lui répète-t-il continuellement. Lui-même n'est pour rien, bien sûr, dans son impopularité galopante. Les responsables, ce sont les autres. Donc François Fillon à qui il dit, à cette époque : « Il y a deux hypothèses. Soit tu restes cinq ans, comme Barre ou Jospin. Soit tu pars après les régionales. » Et puis Patrick Devedjian, le secrétaire général de l'UMP, un sarkozyste historique qu'il juge au-dessous de tout.

Un soir de décembre 2009, Sarkozy appelle Hortefeux : « Je vais nommer Devedjian ministre de la Relance. Figure-toi qu'il hésite, ce con. Je veux qu'il démissionne tout de suite de l'UMP et que tu prennes sa place.

— Je ferai ce que tu me demanderas. »

C'est une phrase que Brice Hortefeux utilise souvent avec son vieil ami. Mais c'est un homme subtil et réfléchi. Contrairement au président, il ne se voit pas gérer de conserve le parti majoritaire et un ministère, fût-il celui de l'Immigration. Il n'a rien d'un kamikaze ni d'un boulimique de pouvoir.

Le chef de l'État se rabat donc sur Xavier Bertrand, le ministre du Travail, un homme solide, l'une de ses coqueluches du moment, qu'il

va mettre sous tutelle à l'UMP avant de lui imputer, un an et quelque plus tard, le désastre des
régionales.

La loyauté et l'obéissance ne sont jamais
payées de retour sous Sarkozy qui oublie tout,
excepté d'être ingrat.

31

Le prince Jean

« Rien n'est plus semblable à l'identique que ce qui est pareil à la même chose. »

Pierre DAC

L'histoire d'amour entre Nicolas Sarkozy et Nicolas Sarkozy a beau être l'une des plus grandes du siècle naissant, elle ne lui a pas toujours porté chance.

Il est vrai qu'il semble toujours hésiter entre deux personnages. Sarkozy est capable du meilleur, on l'a vu pendant la crise financière, mais aussi du pire, comme il va le démontrer avec ce qu'on appellera l'affaire de l'EPAD. Une tragédie familiale et politique, qui semble sortie d'un mauvais feuilleton américain, une séquence de *Dallas* caricaturale et bâclée.

Le duc de Saint-Simon aurait pu écrire un livre entier à partir de cette histoire où se mêlent le népotisme, l'ambition et la trahison. Elle en dit long sur la société de cour qui règne désormais sur la France. Elle révèle aussi qu'à force de repousser les limites, le chef de l'État est entré, sans s'en rendre compte, dans une zone dangereuse où il risque de devenir la risée générale.

Après ses succès internationaux, il est devenu le miroir de lui-même, fasciné par son propre génie : parlant tout le temps et s'étourdissant de ses discours, il ne peut, bien sûr, écouter personne. Il est épuisant et saoulant, comme tous les moulins à paroles. En l'écoutant blablater ainsi, pour dire qu'il est le meilleur et patati et patata, on ne peut que donner raison à l'un de ses ministres qui, pourtant, l'admire et dont je tairai le nom, pour ne pas briser en plein vol sa glorieuse carrière : « Souvent, quand il est dans ses transes éructantes, on a envie de lui jeter un verre d'eau à la figure. Pour son bien. Pour le rafraîchir et pour qu'il s'accorde une pause. »

Mais il ne se taira pas. Sinon, il entendrait les mises en garde de ceux des siens qui osent encore lui dire la vérité. C'est cet enfermement psychologique qui le poussera dans un piège qu'il s'est lui-même construit, en voulant installer son deuxième fils, Jean, âgé de vingt-trois ans, à la tête de l'EPAD (Établissement public d'aménagement de la Défense).

L'EPAD, ce n'est pas rien : 3 millions de mètres carrés de bureaux, 150 000 emplois, des droits à construire, des milliards d'investissements, une dizaine de tours à venir. Une mine d'or potentielle et un fabuleux instrument de pouvoir, même s'il n'y a pas d'émoluments à la clé pour son président.

L'histoire commence le 26 juin 2009 quand une réunion interministérielle décide de reporter à soixante-dix ans l'âge du départ à la retraite du président de l'EPAD. En écrivant ces lignes, j'ai sous les yeux le « bleu » de Matignon qui en fait foi. Il est sans appel. Il doit permettre à Patrick Devedjian, atteint par la limite d'âge fixée à soixante-cinq ans, de prolonger son mandat de quelques années encore, ce qui a été fait pour Alain Juppé qui, à la tête d'un établissement public de Bordeaux, se trouvait dans la même situation.

Quand le « bleu » arrive à l'Élysée, la présidence entre en effervescence. Jean-François Carenco, un homme aussi rusé qu'habile, directeur de cabinet de Jean-Louis Borloo, ministre de l'Écologie, de l'Énergie et du Développement durable, lève le lièvre auprès de Claude Guéant qui en réfère à Nicolas Sarkozy, lequel en parle à son fils Jean, et la messe est dite : quelques semaines plus tard, dans le décret publié par le secrétariat général du gouvernement, l'exception a sauté, Patrick Devedjian n'a plus qu'à faire ses cartons et laisser la place au prince de sang.

À cela, il faut ajouter la touche finale : l'humiliation. La tradition républicaine veut que toute personne atteinte par la limite d'âge puisse terminer son mandat. Eh bien, non, ce ne sera pas le cas pour Patrick Devedjian. Le 27 août, lendemain de l'anniversaire de ses soixante-cinq ans, il reçoit une lettre de Jean-François Carenco lui annonçant qu'il n'est plus président de l'EPAD et sera remplacé par le vice-président de l'établissement.

Afin que tout soit fait dans les règles, Jean Sarkozy est quand même venu voir Patrick Devedjian pour lui annoncer qu'il était candidat à sa succession.

« L'âge est cruel, lui a-t-il dit, compatissant.

— Oui, a répondu Devedjian, mais les administrateurs n'étant pas frappés par la limite d'âge, je t'informe que je resterai administrateur.

— Ce n'est pas un problème. Hervé Marseille est prêt à démissionner du conseil d'administration pour que je puisse prendre sa place avant d'être élu à la présidence. »

Quelques semaines plus tard, Hervé Marseille, le maire de Meudon, est nommé par le chef de l'État au Conseil économique, social et environnemental (3 750 euros d'indemnités mensuelles). La voie est libre pour le prince Jean.

L'arrivée annoncée de Jean Sarkozy à la tête de l'EPAD est accueillie dans le pays par un mélange de lazzi et de sarcasmes. Ce jeune a du talent, du bagou et même du charisme. Tous ceux qui l'ont fréquenté, à commencer par ses adversaires, reconnaissent sa maturité. Mais il n'a de toute évidence ni l'expérience ni les bagages suffisants. Sa biographie tient en quelques lignes : un an de cours de théâtre chez le comédien Jean-Laurent Cochet, qui le décrit comme « travailleur jusqu'à l'entêtement » ; un an d'études de droit à la Sorbonne où il n'a été, jusqu'à présent, qu'un oiseau de passage.

Le chef de l'État paraît totalement déterminé. Il y a quelque chose de viscéral dans sa relation avec son fils : « Jean, c'est mes tripes », a-t-il dit, un jour, à Jean-Christophe Fromantin, le maire de Neuilly. Pas question de reculer. Il bat le rappel des siens.

D'abord, les Français prennent cette affaire à la farce, sur le mode de Laurent Fabius célébrant les atouts du futur président de l'EPAD : « On a besoin de quelqu'un qui soit un très bon juriste, or, il est en deuxième année de droit, c'est déjà un élément très, très fort ; on a besoin de quelqu'un qui connaisse bien les affaires, et, là, je pense qu'il peut y avoir quelques prédispositions[1]. »

Mais très vite, le ton monte et les passions se déchaînent contre ce qui est présenté comme une

---

1. Sur France Inter, le 12 octobre 2009.

nouvelle preuve du monarchisme sarkozyste.
« Une chèvre pourrait être élue avec l'investiture
UMP à Neuilly », rigole le socialiste Arnaud Montebourg[1]. Un « chien » aussi, corrige Marine Le
Pen[2]. Quant à la majorité, au bord de la crise de
nerfs, elle se tortille piteusement quand elle ne
tombe pas dans le ridicule, à l'instar de quelques
personnalités en service commandé :

« Que veulent-ils ? demande Luc Chatel, porte-
parole du gouvernement. Interdire l'élection d'un
candidat de par son origine sociale, son nom, son
faciès ? »

« Laissons la place à la jeunesse », clame Laurent Wauquiez, secrétaire d'État à l'Emploi, avec
un air de ravi de la crèche.

« Ce pays a besoin dans tous les secteurs
d'avoir de jeunes prodiges », déclare sans rire
Alain Joyandet, secrétaire d'État à la Coopération.

Le tollé est tel que Nicolas Sarkozy finit par
reconnaître devant les siens : « Jean me rendrait
un fier service en se retirant, mais je n'ai pas le
cœur de le lui demander. » Le président a la culpa-
bilité des pères divorcés ; il est comme désemparé
devant ce fils qui lui ressemble tant et qu'il a mené,
par sa propre faute, dans une impasse.

Le 22 octobre 2009, après deux semaines de
polémiques, Jean Sarkozy annonce enfin qu'il
renonce à briguer la présidence de l'EPAD. Mais
il prévient qu'il n'a pas tourné le dos pour autant
à sa « vocation politique » : « Je mènerai des
combats dans les années qui viennent devant les
électeurs. »

Comme son père, Jean Sarkozy est une ambition qui va et que rien n'arrêtera. Surtout pas les

---

1. Sur Canal +, le 18 octobre 2009.
2. Sur France 5, le 18 octobre 2009.

vieilles amitiés de son père qui, apparemment, ne sont faites que pour être utilisées, broyées, puis jetées.

Patrick Devedjian n'a pas tout de suite compris ce qui lui arrivait : « Nicolas m'a toujours dit : "Protège Jean." Je l'ai protégé. » Jusqu'à ce que, un jour, le père et le fils décident de le sacrifier. Sa grande faute est de n'avoir pas accepté avec enthousiasme de se laisser immoler pour satisfaire les ambitions du prince Jean.

Il n'a pas supporté que les Sarkozy père et fils ourdissent un complot contre lui. Il n'a pas souffert que le président ne lui parle jamais d'homme à homme. Quand ils se sont expliqués, le chef de l'État lui a dit très sérieusement : « Tu comprends, je n'ai pas voulu qu'on puisse m'accuser de faire une exception pour l'un de mes proches.

— J'en déduis, a répondu Devedjian sarcastique, que Juppé n'est pas un de tes proches. »

« J'ai suivi Nicolas depuis si longtemps, conclut tristement Devedjian. Je croyais qu'il était mon ami. » Mais le président ne préfère-t-il pas ses ennemis ?

32

Tableau de chasse

« Les meilleurs articles de presse : un sujet, un verbe, un compliment. »

Aristide GALUPEAU

Nicolas Sarkozy est persuadé que les médias mènent le monde. À l'affût de la moindre critique, il surréagit dès qu'il est mis en cause et ne cessera de déployer des trésors de ruse et de patience pour avoir une main sur les journaux, les radios et les chaînes de télévision.

Le 7 janvier 2007, Martin Bouygues organise un petit-déjeuner avec Nicolas Sarkozy et la direction de *Marianne* qui fait campagne contre lui. Il y a là Maurice Szafran et Nicolas Domenach. Jean-François Kahn n'a pas voulu venir. Il n'a rien perdu. Le discours sarkozyen tient en quelques phrases répétées sur le mode du disque rayé : « Vous êtes comme la presse fasciste et anti-sémite d'avant guerre. Ah, c'est des beaux enculés, tes amis, Martin ! » Jusqu'à ce que Domenach se lève, soudain : « Nicolas, tu me casses les couilles, je m'en vais. » Alors, enfin, ils arrivent à se parler un peu.

Il y a quelque chose de pathétique dans cette obsession de Nicolas Sarkozy à convaincre, séduire ou menacer les médias pour les mettre au pas. Il a toujours passé beaucoup de temps avec les journalistes ou leurs patrons. Mais cet activisme s'est aggravé le jour où il est devenu président : il a cru qu'il avait désormais barre sur tous les journalistes de France. Qu'il était leur maître après Dieu. Qu'il pouvait donner des ordres.

Soudain, après son élection, son ton a changé.

« Il faut que tu arrêtes ces chroniques de Giscard, me dit-il un jour, après que l'une d'elles l'eut égratigné.

— Les lecteurs aiment bien.

— C'est ringard.

— Non, c'est original.

— Je sais que ça te fait perdre des lecteurs. »

On dirait un commandant de bord qui vient de découvrir un nouvel avion. Il appuie frénétiquement sur des touches qui ne répondent pas. Il ne sait pas comment ça marche et, apparemment, il est trop pressé pour apprendre.

Souvent, pendant les premières semaines de son règne, il me glisse des recommandations et, voyant que je n'obtempère pas, le petit doigt sur la couture du pantalon, me hurle dessus avant de chercher à me faire virer de partout, m'ajoutant ainsi à sa liste noire, déjà bien fournie, des mauvais et des méchants journalistes. C'est une conception du pouvoir, autoritaire et infantile, un mélange de berlusconisme, d'*Hellzapoppin* et de république bananière, qui fait sourire dans les démocraties qui nous entourent[1].

Il est toujours à la manœuvre lors des mercatos à la télévision ou à la radio. Il reçoit, il consulte. Il est au fait de tout ce qui se passe dans les rédactions. Le prochain titre d'un newsmagazine. Les

---

1. Emmanuel Berretta, *Le hold-up de Sarkozy : intrigues, lobbying et coups tordus dans les médias*, Fayard, 2010.

conflits internes. C'est la pipelette du PAF, une pipelette qui entend bien imposer ses choix ou feint d'être derrière chaque décision, chaque mutation, chaque promotion, j'allais dire chaque augmentation.

Parfois, il y parvient. Ceux qui n'ont pas fait allégeance peuvent se retrouver sur le carreau, tandis que les autres, les béni-oui-oui et les âmes damnées, ont toutes les chances de prendre du galon. Les exemples de l'interventionnisme sarkozyen abondent. Il frappe tout le monde, de la piétaille aux gros bonnets.

Pour preuve, le savon qu'il passe, le 13 septembre 2007, à Marc Ladreit de Lacharrière, homme d'affaires et actionnaire principal de Fitch, l'une des trois grandes agences de notation du monde. Le crime de Lacharrière : s'être mis sur les rangs pour acheter le quotidien économique *Les Échos* que le groupe de presse britannique Pearson a mis en vente. Un journal que Sarkozy réservait à Bernard Arnault, le patron de LVMH.

Entre autres mécénats, Marc Ladreit de Lacharrière est le père fondateur et bienfaiteur du prix de l'Audace créatrice qui, chaque année, récompense un patron inconnu et méritant. La tradition veut que le prix soit remis par le président de la République, à l'Élysée. Ce matin-là, avant la réception officielle, Lacharrière a été convoqué par Sarkozy qui l'a fait attendre un bon moment avant d'éructer :

« Qu'est-ce que tu es allé foutre dans cette histoire des *Échos* ?

— Je veux en faire le premier groupe d'information économique en Europe continentale, avec Fitch, en partenariat avec *Il Sole* et *Handelsblatt*, ses homologues italien et allemand. Pour concur-

172

rencer le *Financial Times*. Voilà ce que je fous, Nicolas.

— Non, tu fous la merde. Y a déjà Bernard Arnault sur le coup. Et je ne comprends pas ce que tu as derrière la tête avec ces droits nouveaux que tu prétends donner aux journalistes. »

Alors, Lacharrière :

« Écoute, Nicolas. Je n'ai jamais dépendu de l'État et je suis libre de la gestion de mon groupe. Tu n'accepterais pas que je me mêle de tes nominations au gouvernement. Alors, tu me laisses faire. Chacun gère ses affaires comme il l'entend et tout ira bien... »

Après ça, Lacharrière ne reverra plus jamais le chef de l'État qui cessera, désormais, de remettre le prix de l'Audace créatrice à son heureux lauréat.

On ne compte plus les interventions de ce genre, si ce n'est que Lacharrière est l'un des rares à avoir résisté. Une forte tête qui, dès lors, sera ostracisée. Jusqu'à la réconciliation, trois ans et quelque plus tard.

C'est ainsi que le chef de l'État pilote, avec plus ou moins de bonheur, les achats ou les recapitalisations dans les médias. C'est ainsi qu'il allonge sans discontinuer son tableau de chasse, virant par personne interposée, puis organisant lui-même les remplacements des limogés et se transformant même, pour l'occasion, en agence de recrutement.

Le cas de Patrick Poivre d'Arvor est édifiant. On a du mal à ne pas voir l'ombre de Nicolas Sarkozy derrière son brutal limogeage de la présentation du journal de TF1, le 9 juin 2008.

Que lui était-il reproché ? D'avoir toujours gardé ses distances avec le candidat, puis avec le président. Surtout, d'avoir prononcé une phrase non dénuée d'insolence, un an auparavant, lors d'un entretien télévisé avec Nicolas Sarkozy. Au sujet de sa présentation au G8, il l'avait jugé « presque même un peu excité, comme un petit garçon en train de rentrer dans la cour des grands ». « Vous qui êtes fébrile », avait-il dit aussi, aggravant son cas.

À la suite de cet entretien télévisé, Martin Bouygues, actionnaire principal de TF1 et meilleur ami du président, avait dit à Patrick Poivre d'Arvor : « Eh bien, c'est pas demain la veille que tu pourras recevoir Nicolas sur ton plateau. »

Un an plus tard, l'ire présidentielle n'avait pas faibli et, à TF1, il fallut se résigner à immoler la victime expiatoire, coupable d'impertinence blasphématoire et de crime de lèse-majesté. Un départ annoncé longtemps auparavant par le chef de l'État qui, en prime, donnait à ses visiteurs le nom de celle qui lui paraissait la plus qualifiée pour succéder à PPDA.

C'est la suite qui est amusante. Quelque temps après son licenciement de TF1, Patrick Poivre d'Arvor obtient une audience du chef de l'État et lui dit, d'entrée de jeu :

« Je trouve toujours ça moche, les intrusions de la politique dans le journalisme.

— Moi aussi, répond Sarkozy. Je ne suis pour rien dans ton éviction, je t'assure. Ce n'est pas parce que je connais très bien Laurence Ferrari que j'ai voulu la mettre à ta place.

— Quand j'ai été viré, toute la classe politique m'a appelé, sauf toi. Tu aurais quand même pu me téléphoner. J'aurais eu moins de doutes.

— Si je t'avais appelé, ça aurait fait comme l'assassin qui revient sur les lieux de son crime. »

Lapsus à mettre en résonance avec une autre phrase de Sarkozy à PPDA, ce jour-là. Il faut, bien sûr, la lire à l'envers :

« Ce que j'aime bien chez toi, c'est que tu ne me ménages pas. Je déteste les journalistes qui me lèchent. »

Cette ingérence permanente ne touche pas seulement l'information, mais aussi le divertissement. Un prurit qui devient comique quand le chef de l'État entend jouer les directeurs de programme des chaînes de télévision. La plupart des présidents de la Ve République ont joué à ce petit jeu dérisoire, mais jamais à ce point, jusque dans les plus menus détails.

C'est le seul homme d'État de notre histoire qui aura eu d'aussi grandes passions pour des animateurs d'émissions de variétés à la télévision : dans certains cas, ce sont des personnages si insignifiants qu'on s'étonne qu'il puisse les distinguer encore depuis son Aventin. Il peut parler pendant des heures des uns et des autres, de leurs audiences, de leurs intrigues, de leurs coucheries, de leurs ennemis. Il semble se complaire tellement dans l'infiniment petit qu'on a envie de reprendre, à son sujet, le mot d'Émile Ollivier, l'ancien chef de gouvernement de Napoléon III, sur Adolphe Thiers : « Il apercevait beaucoup à ras de terre ; à une certaine hauteur, il ne voyait plus rien. »

Mais ce serait un faux procès : Sarkozy voit aussi bien en dessous qu'au-dessus et il peut passer sans transition d'une conversation avec Patrick Sabatier à une conférence téléphonique avec Barack Obama, preuve qu'il est bien un personnage indéfinissable qui multiplie des efforts désespérés pour ne pas paraître intelligent et qui, parfois, y arrive.

33

Certains l'appellent « Maurice »

> « Il n'a qu'une qualité : il est modeste. Et
> il s'en vante. »
>
> Alfred CAPUS

Un Don Quichotte a toujours son Sancho Panza.
Celui de Nicolas Sarkozy s'appelle Claude Guéant,
un personnage qui a la modestie ostentatoire des
grands vaniteux, furieux d'être rien ou si peu.

Tandis que Nicolas Sarkozy joue les *deus ex
machina*, plaçant ses pions dans l'industrie,
l'administration et les médias, Claude Guéant
assure le suivi et même davantage. De temps en
temps, il s'offre aussi une petite nomination.
Parfois une grosse.

Secrétaire général de l'Élysée pendant près de
quatre ans, avant de devenir ministre de l'Intérieur, c'est un homme qui impressionne, surtout
par sa réserve. La voix doucereuse, presque toujours murmurante, pour ne pas déranger. La
démarche tellement silencieuse, comme sur des
œufs, qu'on ne l'entend pas arriver ni partir.

Au début du quinquennat, la presse le surnom-
mait « l'homme le plus puissant de France ». Il
semblait appelé à succéder tout naturellement, le
jour venu, à François Fillon, avec sa tête de Premier ministre de fin de règne, quand il s'agit surtout de ne pas faire de vagues.

Il y avait chez lui quelque chose qui rassure toujours les politiciens : un manque absolu d'ambition personnelle, une obséquiosité de valet de Cour, aucune once d'égocentrisme, un dévouement sans borne au patron et à la République. C'est ce qui fait la force de ce personnage lisse qui ne s'est jamais départi des manières du petit préfet départemental qu'il fut jadis dans les Hautes-Alpes avant que Charles Pasqua ne le repère pour en faire son directeur adjoint de cabinet au ministère de l'Intérieur, en 1993.

D'où le surnom qu'il a gagné, à l'Élysée : « Maurice », façon de souligner le côté rustique et provincial. Aussi influent qu'il soit, cet homme a des complexes. Tout énarque qu'il est, il ne fait pas partie du petit monde bourgeois et parisien où ont été recrutées la plupart des éminences du sarkozysme. Il a passé son enfance en pays minier, à Vimy, une petite bourgade à quelques kilomètres d'Arras, et ne semble pas revenir de ce qui lui est arrivé. De son ascendant sur Nicolas Sarkozy. De son triple rôle auprès de lui : chambellan, maire du palais et préposé aux affaires secrètes. Sans parler des autres...

Équanime en tout, il reste toujours sous contrôle. Ni pulsion ni haussement de ton ni accélération du rythme cardiaque. C'est, à tout point de vue, le contraire de Sarkozy. Autant son patron est impatient, boulimique et brouillon, autant Claude Guéant prend son temps. L'un trouve la vie très courte ; l'autre, trop longue.

Claude Guéant est un diesel. Il se lève tous les jours à 6 h 30 pour se coucher à minuit et, dans l'intervalle, il travaille. Apparemment, il n'est bon qu'à ça. À moins qu'il n'ait rien de mieux à faire. En tout cas, il n'arrête pas, notant tout et donnant la même importance à chacune des informations qu'il recueille, fût-elle négligeable.

Il n'a pas le talent flamboyant d'Henri Guaino, son ennemi personnel, ni la compétence pointilleuse de Xavier Musca, ni les intuitions prophétiques de Jean-Michel Goudard, ni la science géopolitique de Jean-David Levitte. Il n'a aucune de ces qualités, qu'il déteste au demeurant comme tous les flagorneurs professionnels, inquiet de tout et jaloux de tous.

À l'Élysée, il aura été trop servile pour servir bien son président. Il l'a finalement enfumé sous les coups d'encensoir. S'il a tenu si longtemps, c'est parce qu'il a le bon sens et le sang-froid dont semble manquer parfois son patron. Ce qui lui a permis, le plaisantin, de se forger une statue pour les gogos : celle d'un personnage qui incarnerait l'État, un État fort et tranquille.

Or il s'est pas mal encanaillé, au fil du temps. Il se sent même assez sûr de lui pour ne plus soigner ses relations. Il s'affiche volontiers avec l'avocat franco-libanais Robert Bourgi, symbole vivant de la Françafrique, très proche de l'ancien président du Gabon, Omar Bongo, puis de son fils Ali. Il est du dernier bien avec Alexandre Djouhri, expert en contrats d'exportation vers le Moyen-Orient, qui était dans les petits papiers de Jacques Chirac et de Dominique de Villepin dont il a fait les beaux jours. Ils ne se quittent pas. La prospérité trouve toujours des amis. Le pouvoir aussi.

En plus de la gestion des ressources humaines au gouvernement et de tout le reste, Claude Guéant est en charge des affaires secrètes, comme le confirment ses voyages incessants, le week-end, en Syrie, au Liban, dans les Émirats ou au Gabon. À peu près partout où il y a de l'argent à faire, disent les mauvaises langues. Et gare à ceux qui, comme Jean-Christophe Rufin, ambassadeur au Sénégal, un homme intègre et courageux, se heurtent à son étrange réseau. Ils sont écartés sans ménagement.

Il tisse sa toile, place ses hommes, très souvent francs-maçons, ce qui est sûrement un hasard, et s'intéresse à tout, notamment à l'industrie où il suit de près le nucléaire. Lui aussi se croit omniscient. Il n'a plus de limites...

En 1994, pour le remercier de ses bons et loyaux services à l'Intérieur, Charles Pasqua avait fini par catapulter Claude Guéant à la tête de la Police nationale. La fonction lui seyait bien. C'est là que le futur secrétaire général de l'Élysée a développé son goût du secret, du renseignement et des réseaux tangentiels. À l'Élysée, il peut le déployer à sa guise : Nicolas Sarkozy qui lui fait une confiance absolue lui a tout délégué. Y compris la supervision des contrats d'armement, activité juteuse s'il en est.

C'est le vice-président et, comme aux États-Unis, il est préposé à la politique étrangère, plus particulièrement, dans son cas, aux affaires de renseignement ou d'exportation d'armement. N'en référant qu'au chef de l'État, il court-circuite régulièrement les ministres de la Défense et des Affaires étrangères, qui ont fini par en prendre leur parti : Claude Guéant se fiche pas mal de leurs avis ; il ne rend de comptes à personne, sauf à Sarkozy.

Ces deux-là partagent de grands secrets ; ils sont indissolublement liés par un pacte qui, s'il n'est pas de sang, a au moins la densité du roc. Tous ceux qui eurent l'outrecuidance de s'opposer ouvertement à « Maurice » ont, telle Emmanuelle

Mignon, l'ex-directrice de cabinet de l'Élysée, fini par être dégagés ou par s'esbigner.

Après la victoire de 2007, il a réussi à écarter Laurent Solly de l'équipe élyséenne. Le chef de cabinet de Sarkozy au ministère de l'Intérieur avait de l'allant et d'entregent. Rien d'un besogneux passe-muraille. *Exit* Solly qui se recyclera à TF1 où il ne fera pas d'ombre à Guéant.

En envoyant Henri Guaino dans un cul-de-basse-fosse, le secrétaire général de l'Élysée aurait définitivement assis son pouvoir. Mais les princes les moins pervers aiment bien laisser des cailloux dans les chaussures de leur chambellan...

Le président a tout de même fini par l'exfiltrer de l'Élysée en lui confiant le portefeuille de l'Intérieur. Une belle promotion, assurément. Mais une façon aussi de commencer à couper le cordon ombilical avec un personnage aux amitiés parfois sulfureuses, qui, sous prétexte de le protéger, l'a enfermé dans une bulle en ne lui communiquant pas toutes les notes qu'il recevait à son attention.

Claude Guéant ne lui aura pas vraiment porté bonheur...

34

Combat de coqs

« La haine, c'est la colère des faibles. »
Alphonse DAUDET

Jamais je n'ai vu pareille haine. J'ai pourtant entendu Chirac déblatérer sur Giscard, ou Mitterrand sur Rocard, les narines tremblantes, j'allais dire fumantes, la voix étranglée d'indignation, émettant tour à tour des sifflements et des halètements, avec une sorte de houle intérieure qui les tordait et des yeux qui fusillaient méchamment une cible imaginaire, juste derrière moi. J'ai essuyé ainsi bien des postillons mousseux sur ma chemise et parfois sur le visage, tant il est vrai que la hargne, quand elle se déchaîne, est toujours humide sinon poisseuse.

Jamais je n'ai vu une haine aussi violente que celle qui oppose, depuis plusieurs années, Nicolas Sarkozy et Dominique de Villepin. Il n'y a pas de nom pour ça : il faudrait l'inventer. Ils se déprisent, pour parler vieux français. En petit comité, ils se traitent mutuellement de « fou », de « schizophrène », de « salopard », de « pourri », d'« irresponsable » et d'autres qualificatifs de ce genre. Sans parler des adjectifs sur le physique. Avec l'affaire Clearstream, leur querelle a connu un paroxysme d'où ensuite elle n'est plus descendue.

Une affaire ridicule, montée par des esprits dérangés, pour nous faire croire que Nicolas Sarkozy avait, comme d'autres personnalités, un compte en banque secret au Luxembourg. La machination, échafaudée à la fin des années Chirac, a fait long feu.

Même si rien ne le prouve, Nicolas Sarkozy a toujours pensé, en son for intérieur, que Dominique de Villepin avait partie liée avec les comploteurs qui étaient tous des connaissances. On est pourtant en droit de penser que ce dernier s'est simplement contenté, quand il en a eu vent, de chercher à en tirer un bénéfice politique, c'est-à-dire à l'exploiter.

On est là dans la basse politique où clapotent les rebuts et les rognures du système. On a du mal à comprendre pourquoi, une fois élu, Sarkozy n'a pas détourné son regard de ce cloaque pour prendre de la hauteur et tendre la main au rival carbonisé.

C'eût été de la bonne politique. Au lieu de quoi, il a tisonné la haine. Il l'a tellement tisonnée qu'on peut se demander s'il ne croit pas que Villepin est un adversaire dangereux qu'il veut mettre définitivement hors d'état de nuire.

Un jour, alors que Nicolas Sarkozy était encore le ministre de l'Intérieur de Dominique de Villepin, il avait fait à ce dernier cette confidence en forme de parabole :

« J'ai eu un chien, une fois, un labrador. Un animal très beau, très intelligent, mais intenable. Un mâle dominant, m'avait prévenu le vétérinaire. »

Un sourire, puis :

« Voyez-vous, Dominique, j'ai dû m'en séparer. Il ne faut jamais laisser deux mâles dominants dans le même endroit et, aujourd'hui, le mâle dominant, c'est moi[1]. »

Après son élection, le « mâle dominant » a tout de suite proposé à Villepin une circonscription ou un poste à Bruxelles. Sans succès. En vertu de la vieille règle selon laquelle il vaut toujours mieux avoir les ennemis à l'intérieur plutôt qu'à l'extérieur, quelques-uns de ses amis lui ont suggéré de donner à l'ancien chef du gouvernement un ministère prestigieux mais sans marge de manœuvre, comme la Défense. Sarkozy les a écoutés, mais ne les a pas entendus. Au contraire, son naturel vindicatif a vite repris le dessus. Après s'être constitué partie civile en 2006 contre les pieds nickelés qui ont échafaudé la « conspiration Clearstream », il a décidé de ne pas se désister et d'aller jusqu'au bout avec des arguments qui ne sont certes pas ceux d'un président : « On a voulu me salir, me détruire ! Si vous retrouviez votre nom sur le fichier d'une banque où vous n'avez jamais mis les pieds, vous n'auriez pas envie de savoir qui vous y a mis ? »

Sa haine aveugle tant le président qu'il ne s'en rend sans doute pas compte : en se déchaînant contre un Villepin à terre, il le ressuscite et le réinstalle au centre de son jeu. Mais il est trop pressé d'en finir, comme le coq qui, le cou tendu, le bec sanglant, les plumes hérissées et froufrou-tantes, s'apprête à porter le coup fatal à son rival efflanqué.

Le 23 septembre 2009, en visite à New York, le chef de l'État commet à propos de Clearstream un impardonnable lapsus devant les caméras de télévision : « Deux juges indépendants ont estimé

---

1. Cf. Raphaëlle Bacqué, « Fatale attraction », *Le Monde*, 10 octobre 2008.

que les coupables devaient être traduits devant le tribunal correctionnel. » Coupable, forcément coupable, Villepin ? Mais que fait l'ex-avocat Sarkozy de la présomption d'innocence, une expression qu'il a par ailleurs plein la bouche ?

« Il a fait de moi son principal adversaire, se félicite aussitôt Villepin. Il m'a totémisé. »

Le 28 janvier 2010, Dominique de Villepin est relaxé dans l'affaire Clearstream par le tribunal correctionnel de Paris. Une victoire judiciaire et politique pour l'ancien Premier ministre. Nicolas Sarkozy la salue, à sa façon, par une nouvelle bourde en indiquant qu'il ne fera pas appel de la décision du tribunal. Apparemment, il ne sait pas que seuls le parquet et les prévenus en ont le droit.

Qu'importe, puisque le parquet, sous l'autorité du pouvoir politique, annonce le lendemain, par la voix du procureur de la République de Paris, Jean-Claude Marin, qu'il interjette appel. Ce qui permet à Villepin de dénoncer aussitôt « l'acharnement » et « la haine » du président à son endroit.

Mais lequel des deux hait le plus l'autre ? En matière de sarkophobie, Villepin est un professionnel. Depuis longtemps, il raille la petite taille de son meilleur ennemi, ses mauvaises manières ou ses mésaventures conjugales, avec une espèce de mépris de classe. Pour lui, le président est un intrus, un imposteur.

Chose étrange, Sarkozy ne se voit pas autrement face à cette caricature d'aristocrate méprisant. C'est ainsi que le chef de l'État m'a fait, à l'aube de son règne, son numéro du « bâtard » qui éclaire si bien leur relation. Écoutons-le :

« Tu veux comprendre ma différence avec tous ces gens, les Fabius, Juppé et Villepin, surtout

Villepin qui en est la quintessence ? C'est bien simple : eux, depuis le berceau, on les a choyés et dorlotés en leur répétant : "T'es le meilleur, le plus beau, le plus intelligent." En plus, ils ont fait de brillantes études. Regarde comme ils s'aiment. Moi, c'est un autre genre : je suis le bâtard. Mais voilà, c'est le bâtard qui est président de la République. »

35

La méthode Copé

« Mieux vaut supporter son héritier que
d'avoir à en chercher un. »

Publilius SYRUS

Le chef de l'État n'a pas vu arriver le fiasco des
élections régionales. Une défaite historique, qui
a laissé la droite à terre. Jusqu'au dernier
moment, il a annoncé à tous ses visiteurs que
l'UMP reprendrait des régions à la gauche. Quatre, cinq ou davantage, faites vos jeux. En adepte
de la méthode Coué, il n'a jamais su préparer ou
accepter les échecs.

Quelques jours avant le scrutin, quand Jean-
François Copé émet des doutes sur ses prévisions,
le président lui répond :

« Tu n'y es pas. Vous êtes tous conditionnés
par les médias. »

Jean-François Copé est un des rares chefs de
file de la droite qui ose faire la nique au président.
Il l'observe avec un mélange d'amusement et de
condescendance, comme on regarderait un coli-
bri qui se prendrait pour une navette spatiale.
Pour lui, c'est une incongruité. Une sorte de tutu-
pampan.

Depuis toujours, Sarkozy divise l'humanité
en dominés et dominants. Il a affaire, là, à un

représentant de la seconde catégorie, qui, au surplus, a l'œil moqueur. Le chef de l'État n'a encore rien à craindre de lui, les deux hommes n'ont pas le même âge ni le même calendrier, mais il ne fait aucun doute qu'il sera à Sarkozy ce que Sarkozy fut à Chirac : jamais il ne chantera la gloire de l'épopée sarkozyenne ; au contraire, s'il arrive un jour à la fonction suprême, il exercera sans pitié son droit d'inventaire.

En ce printemps 2010, Copé fait au système sarkozyste plusieurs griefs, dont le moindre n'est pas sa propension à détruire tous les talents. « Pour que personne ne pèse, dira-t-il, tous les grands ministères ont été coupés en deux. L'Intérieur n'a pas l'Aménagement du territoire. On a retiré l'Emploi aux Affaires sociales pour le donner à Bercy qui a lui-même été scindé, j'allais dire dynamité. Comme ça, c'est simple, le président est tranquille, il n'a pas de grands ministres, des gens qui pourraient lui tenir tête. »

Le président, en effet, ne partage rien. Ni les succès qu'il s'arroge pour lui seul, ni les échecs qui seront toujours imputés aux autres, voire à ses alliés.

Le lendemain du second tour des régionales, Jean-François Copé exhorte le chef de l'État :

« Il faut que tu parles.

— J'ai prévu de faire une communication après-demain au Conseil des ministres et Fillon ira, ce soir, sur TF1.

— Non, c'est à toi d'y aller. Il faut quelque chose de grave et de solennel à vingt heures, dans le genre : "On a perdu. J'en tire les conséquences." »

La préconisation de Copé à Sarkozy peut se résumer ainsi : « Il est temps de revenir aux fondamentaux. Le phénomène FN n'existe qu'à partir du moment où la droite ne fait pas son travail. Dans notre électorat, personne n'a voté FN par plaisir. D'ailleurs, personne n'assume. Pour retrouver la droite populaire et la droite bourgeoise, tu dois donc revenir à nos valeurs. La réforme, avec l'allongement de l'âge légal de la retraite. La compétitivité pour laquelle nous devons nous battre davantage. La République qu'il faut défendre avec la loi sur la burqa. La droite attend du président un discours de courage, de rassemblement, d'identité et d'ouverture au monde. »

Telle est la méthode Copé : franche et brutale. Le président du groupe parlementaire UMP au Palais-Bourbon a été entendu par le chef de l'État. Le tournant de l'été 2010 en forme de repositionnement, il en est l'un des principaux inspirateurs. Encore qu'il n'assume pas, il va de soi, les dérapages sarkozystes en matière de sécurité. Si ce recentrage n'a pas convaincu, c'est sans doute parce que sa réalisation n'a pas été à la hauteur.

Aussi brillant soit-il, Sarkozy ne trouve jamais les mots qu'il faut quand il s'adresse aux Français. François Mitterrand citait volontiers la formule d'Édouard Herriot : « La politique, c'est parler aux gens. » Le président fait son show, mais il ne leur parle pas.

Depuis son élection, Nicolas Sarkozy ne s'est pas encore construit un rapport particulier avec les Français. Il en est resté à une conception matérialiste de la politique, celle qu'il définissait, un jour de décembre 1990, à un jeune énarque qu'il rencontrait pour la première fois : Jean-François Copé.

« La politique, c'est des partis et des mandats, disait-il. Il ne faut pas les demander, il faut les prendre. »

Une conception qui l'a mené à l'Élysée, mais pas dans le cœur des Français.

36

« *Auf wiedersehen, Angela...* »

> « Il faut demander plus à l'impôt et moins
> au contribuable. »
>
> Alphonse ALLAIS

En quoi la crise l'a-t-elle changé ? Il ne fait plus
comme avant d'incessantes dévotions au Veau
d'or qui devait tout sauver, la croissance, la civilisation, sa réélection. Il n'a plus de mots assez
durs pour stigmatiser la spéculation. Interloqué
par la démission des élites devant l'incendie
financier qui continue de ravager le Vieux Monde,
il lui arrive même de retrouver les accents de Bernanos pour dénoncer la canaillerie et la goinfrerie
des marchés.

Le spéculateur, c'est le grand homme de notre
temps. Invisible, cupide et irresponsable. Souvent
banquier, donc respectable, mais néanmoins amo-
ral : aucune règle ne l'arrête. Il joue ses mises avec
de l'argent qui n'est pas le sien. Il ne perd donc
jamais. Tels sont les effets de l'ultralibéralisme qui
privatise les profits et mutualise les pertes.

Anti-étatiste, le spéculateur vit cependant sur
le dos de l'État à qui il réclame régulièrement son
obole. Ses pertes au jeu des marchés, ce sera toujours au bas peuple de les payer, le jour venu, au
nom des intérêts supérieurs du pays, comme ce
fut encore le cas après la crise de 2008.

Pour se faire pardonner ses gains sur les malheurs des autres, le spéculateur se pique au demeurant de philanthropie. Entre deux galas de charité, il plaide ainsi, tel George Soros, titan de l'abjection, pour plus de justice sociale sur la terre, sous les applaudissements des gogos.

On a les grands hommes qu'on peut. Il y a une chose qu'on ne peut toutefois enlever au spéculateur, c'est sa ténacité. Quand il a une proie, il ne la lâche plus tant qu'il ne l'a pas vidée de son sang, le sang du pauvre. Ces temps-ci, tous les affairistes de son engeance traînent leur triste figure du côté du Vieux Monde où ils ont humé de bonnes affaires à venir. Avec la Grèce en particulier. Un modèle de mauvaise gestion avec un déficit prévu de 8,7 %, un endettement public de 137,3 % par rapport au PIB et, pour couronner le tout, une récession à – 4 %.

Si c'était une entreprise, la Grèce aurait été déclarée en faillite depuis longtemps et ses dirigeants croupiraient en prison pour cause de comptes truqués. En attendant, elle flageole sur les marchés qui n'acceptent ses emprunts qu'à des taux très élevés. Elle est au bord de l'asphyxie.

Comme tous les dirigeants européens, Sarkozy redoute la contagion. Après la Grèce, le Portugal est en première ligne. L'Irlande, l'Espagne et l'Italie sont les suivantes sur la liste noire. Le tour de la France viendra ensuite.

« Dans cette affaire, déclare le président au *Parisien*[1], il ne s'agit pas seulement de la Grèce : il s'agit de l'euro, c'est-à-dire de notre monnaie commune. » Il s'agit aussi de la France.

Pas de l'Allemagne. Nos voisins d'outre-Rhin se sont infligé une terrible cure d'austérité à la fin

---

1. Le 29 avril 2010.

des années Schröder, le chancelier social-démocrate. Angela Merkel, qui lui a succédé, a poursuivi l'assainissement. Elle s'est efforcée de respecter la rigueur budgétaire imposée par le traité de Maastricht et entend se conformer à l'amendement de la Constitution allemande qui limite le déficit à 0,35 % du PIB à partir de 2016. Le peuple allemand accepte mal d'avoir à consentir encore des efforts pour des pays qui, comme la Grèce, les ont toujours refusés : autant de cigales vivant dispendieusement au-dessus de leurs moyens, avec les résultats que l'on sait.

Le peuple allemand se prend aussi à regretter d'avoir sacrifié le Deutschemark, symbole du miracle économique de l'après-guerre, au profit de l'euro. Il s'irrite, enfin, à juste titre, des leçons de bonne gestion que leur assène Christine Lagarde, ministre de l'Économie, quand elle lui demande de consommer plus et d'exporter moins. On se pince.

Cette sébile que leur tendent en permanence Nicolas Sarkozy et la plupart des dirigeants européens, elle pourrait rappeler aux Allemands un slogan de sinistre mémoire quand, après le traité de Versailles, en 1919, les vainqueurs de la Première Guerre mondiale disaient en chœur : « L'Allemagne paiera. » On connaît la suite.

Mais en l'occurrence, il n'est pas question de lanterner ni de mégoter. Le 7 mai 2010, quand commence à Bruxelles le sommet des pays de la zone euro, les Bourses ont dévissé partout dans le monde. Contre la Grèce, la spéculation est dans le même état de transe qu'en 2008, le jour où elle fit tomber la banque Lehman Brothers. Pour preuve, les crédits interbancaires se ratatinent comme avant chaque grande crise. Il suffirait de pas grand-chose pour que tout bascule. C'est pourquoi Jean-Claude Trichet, le président de la Banque centrale européenne, parle ce jour-là de « problème systémique ».

Sarkozy est à cran. Il est vrai qu'il joue gros : la France est en effet en position de faiblesse. Depuis la crise financière de 2008, la dette française, déjà lourde, a explosé pour culminer à 80,4 % du PIB à la fin du premier trimestre 2010[1]. Le discours obsessionnel du président contre les agences de notation est une manière pathétique de conjurer le sort. Sa hantise : une dégradation de la note de la France qui, avec son AAA, est en haut du tableau d'honneur mais qui, aux yeux de certains Cassandre, pourrait ne pas y rester longtemps. Ce qui ne lui permettrait plus d'emprunter dans les meilleures conditions et la précipiterait, après la Grèce, dans une spirale infernale.

Une nouvelle fois, pendant ce sommet, Sarkozy va faire preuve de ses incroyables capacités de négociateur international. Du grand art. Il est en pleine discussion avec Merkel dans le bureau de la chancelière, à la Commission de Bruxelles, quand soudain, irrité par son refus persistant de lâcher du lest, il se lève et soupire avec un air mélodramatique :

« Je vois bien qu'on ne pourra pas se mettre d'accord. *Auf wiedersehen*, Angela. »

Stupeur et tremblement dans la délégation allemande. Sarkozy se tourne vers sa propre délégation :

« Allez, on y va. »

Sur quoi, il sort avec sa garde noire : Xavier Musca, le secrétaire général adjoint de l'Élysée,

---

1. Source INSEE, citée par *Le Monde*, 30 septembre 2010.

Jean-Michel Goudard, Jean-David Levitte et Franck Louvrier.

La délégation française revient dans son bureau à l'autre bout du palais de la Commission et y tue le temps en se goinfrant de chocolats et de macarons. Jusqu'à ce qu'un fonctionnaire européen annonce que Merkel et Trichet souhaitent le voir. Sarkozy secoue la tête ; il ne se déplacera pas.

Dix minutes plus tard, Angela Merkel frappe à la porte et la négociation reprend jusqu'à l'accord final : pour sauver la Grèce et l'euro, les Européens sont prêts à mobiliser 750 milliards avec le FMI. De quoi refroidir la spéculation pendant quelque temps…

Avec son mélange de bluff, de rouerie et de fermeté, le président le plus ébouriffant de la Ve République est arrivé à ses fins en faisant croire à la chancelière qu'il était prêt à provoquer une crise. Si le monde lui a échappé, il reste encore le « taulier » de l'Europe. Le dimanche soir, alors qu'il est rentré à l'Élysée, Barack Obama, qui était si inquiet et qui peut désormais respirer, l'appelle et lui dit : « Je veux te remercier pour tout ce que tu as fait et te féliciter pour ton leadership. »

Avec le temps et malgré les conflits, Nicolas Sarkozy a su nouer des relations assez fortes avec Angela Merkel. Elle eut longtemps avec lui des airs de brebis effarouchée dont on va tondre la laine. Elle ne supportait pas non plus ses caresses et ses papouilles de maquignon soupesant sa viande.

Apparemment, il n'y a pas grand-chose en commun entre la Saxonne neurasthénique qui raffole surtout de fromage ou de vin blanc et le président survolté qui adore les sucreries. Reine de l'esprit

194

d'escalier, elle est de surcroît aussi lente à se mettre en mouvement qu'il est rapide à la détente.

Ils sont pourtant devenus complices. Pour preuve, ce dialogue entre Nicolas Sarkozy et Angela Merkel, lors d'un sommet européen :

« On est fait pour s'entendre, dit le président français. On est la tête et les jambes.

— Non, Nicolas, tu es la tête et les jambes. Moi, je suis la banque… »

37

Le roi s'amuse

« Le chien a des vers, l'enfant, des poux et
le roi, des courtisans. »

marquise de ROCHEBELIN

Rien ne lui réussit comme l'échec qui, au demeurant, ne l'atteint jamais. Ou bien, en bon autiste, il refuse de le reconnaître. Ou bien, en volontariste patenté, il se dit que le succès sera derrière.

Barricadé en lui-même, le président explique, après le fiasco des régionales, que la situation n'est pas grave, encore moins désespérée. Le 30 juin 2010, recevant à l'Élysée les parlementaires UMP, il déclare avec l'autorité de la conviction :

« Je sais que cet échec passe mal. D'ailleurs, j'ai de mauvais sondages et je sais que vous êtes inquiets pour l'élection présidentielle de 2012. Je vous remercie de vous inquiéter pour moi, mais ôtez-moi d'un doute, chers collègues : par qui vais-je être battu ? Dites-le moi franchement : par qui ? »

Rire général, un peu forcé et, bien sûr, courtisan.

Après quoi, pour finir d'emballer son monde, Sarkozy fait l'éloge du métier de député :

« Vous savez quel est mon regret depuis que je suis à l'Élysée ? C'est de ne plus aller aux réunions. Je suis l'un des vôtres, ne l'oubliez jamais. »

Alors que tout s'écroule autour de lui, les sondages et la confiance des siens, il reste protégé par ce mélange d'optimisme, d'égotisme et de foi aveugle en lui-même, qui est sa marque de fabrique.

Est-il aguerri pour autant ? À l'évidence, non, comme en témoignent ses cris d'orfraie devant la moindre piqûre de moustique médiatique. Cet homme a un cuir de bébé. Un rien le blesse.

Mais il a connu la disgrâce et la traversée du désert, il est vrai dans un bac à sable. Il a même connu les crachats, comme lors du meeting de Bagatelle, entre les deux tours de l'élection présidentielle de 1995, quand les militants du RPR l'ont couvert de mollards, lui et sa garde noire balladurienne : Brice Hortefeux, Pierre Charon et Frédéric Lefebvre.

Il sait que la roue tourne. Il est néanmoins à cran. Il supporte moins que jamais les observations lucides ou critiques de ses conseillers et hurle dès qu'ils les formulent : « Vous n'êtes pas là pour me déstabiliser ! » Il cherche des coupables et des boucs émissaires.

François Fillon est là pour ça. Il a l'air de l'emploi : discret et réservé. Avec ça, compétent et obsédé par le service de l'État. Il a souffert pendant des mois d'une sciatique que ses proches ont pu imputer, on l'a dit, au traitement infligé par Nicolas Sarkozy qui depuis 2007, le bridait et de le bordurait, avec une sorte de sadisme de tous les instants.

Il n'est pas le premier président de la Vᵉ République à sadiser son chef de gouvernement. Mais dans le genre, il vaut bien Pompidou avec

Chaban-Delmas ou Mitterrand avec Rocard. Il lui arrive de temps en temps de demander à François Fillon d'annuler *in extremis* un entretien prévu dans un journal télévisé. Il s'inquiète régulièrement des relations que son Premier ministre a nouées avec Angela Merkel. Parfois il ne jette pas un seul regard à son chef de gouvernement pendant certaines réunions, quand il est furieux contre lui. Il évite les tête-à-tête avec lui.

Il a finalement décidé de changer de Premier ministre. Rien de plus normal au milieu d'un mandat, surtout après un échec électoral historique comme celui des régionales. Mais il sait qu'il se met en danger s'il se sépare d'un chef de gouvernement beaucoup plus populaire que lui. Beaucoup plus présidentiel aussi parce que Fillon a le sens du temps et n'a pas peur du silence dont il joue au demeurant avec aisance.

Pendant que Nicolas Sarkozy court après le vent, François Fillon assure. Contrairement au chef de l'État, il a tout de suite enfilé les habits de la fonction, mais les plus grands, ceux du père de la Nation, en veillant à ce que l'autre n'en prenne pas ombrage. Il a du talent et notamment celui de ne jamais se mettre trop en avant. Son génie, c'est sa patience. Il ne perd jamais ses nerfs ni le nord. S'il a une devise, c'est : « *aequo animo* » (« d'une âme égale, avec constance »).

C'est ainsi qu'il est devenu peu à peu le socle de la majorité présidentielle. La coqueluche des parlementaires de l'UMP qui lui font des ovations, au Sénat comme au Palais-Bourbon. Le favori des militants du parti qui, pendant les meetings de la campagne des régionales, exhibaient la couverture d'un magazine : « Le président Fillon ». Il est devenu un danger. Un candidat crédible pour 2017 ou avant…

Mais il est aussi une protection. Sans Fillon qui fixe une grande partie de l'électorat de la majorité, le système Sarkozy risque l'effilochage et même la débandade. Le limogeage de Pompidou, Premier ministre populaire, a précipité la fin du gaullisme. L'éviction de Rocard (« comme un laquais », selon son expression) a mêmement accéléré le délitement du mitterrandisme.

Après le fiasco des régionales, Nicolas Sarkozy est néanmoins convaincu qu'il a plus à gagner à virer Fillon qu'à le garder. Il a déjà un œil sur Jean-Louis Borloo qu'il envisagea un temps de nommer à Matignon, avant son élection de 2007. Un personnage atypique et un peu foutraque qui n'a laissé que des bons souvenirs partout où il est passé : à la mairie de Valenciennes, aux ministères de la Ville, puis du Travail et, enfin, de l'Écologie.

Au lieu de trancher dans le vif, Nicolas Sarkozy décide pour une fois de prendre son temps. Il annonce donc aux parlementaires de l'UMP, ce 30 juin, qu'il procédera à un remaniement en octobre. Quatre mois plus tard. Pour ouvrir une « étape nouvelle »…

Dans l'histoire de la République, c'est une première. Jamais encore un président n'avait annoncé si longtemps à l'avance qu'il allait remanier. Il y a là un mélange d'inexpérience et de péché d'orgueil. Un homme d'État ne s'enferme pas dans un calendrier ni ne se fixe de dates précises à si long terme : il ne sait jamais de quoi l'avenir sera fait et, même s'il donne le change, il a conscience de ne pas être le maître du temps.

Sarkozy semble pourtant croire le contraire. Il a décidé qu'il procéderait à son remaniement quand il en aurait fini avec la réforme des retraites et que la réunion du G20, prévue en novembre, serait derrière lui. Il n'a pas compris qu'il allait ainsi installer, à mi-mandat, un climat de fin de règne. D'autant que, pour ne rien arranger, il ne cesse de balancer des horreurs sur plusieurs de ses ministres, qui pensent que leur compte est bon. Un jour, c'est Christian Estrosi qui prend son paquet. Une autre fois, Fadela Amara. Sans parler de Bernard Kouchner ou de Patrick Devedjian. Confirmant qu'il est décidément le plus mauvais DRH de France, il dira, lors d'une réception à l'Élysée, à près de trois cents députés UMP, pour être sûr que ce soit répété : « Certains comportements ministériels ne m'ont pas plu. J'en tirerai sévèrement les conséquences au moment qu'on aura choisi avec le Premier ministre. » À quelques exceptions près, c'est le gouvernement tout entier qui devient une liste noire.

Le spectacle donné par son équipe est désolant. La plupart des membres du gouvernement se tortillent et se contorsionnent devant le prince qui n'aura jamais été autant loué. C'est le temps des courbettes, des génuflexions, parfois même des plats ventres. Sans doute Sarkozy éprouve-t-il une certaine jouissance devant tous ces visages ministériels, apeurés ou affolés, à l'affût de ses mimiques ou de ses froncements de sourcil. Mais il est probable qu'il n'apprécie pas la placidité de François Fillon qui semble s'être fait une raison. Qu'il reste ou qu'il parte, il sera de toute façon gagnant. Il ne participe donc pas au petit jeu pervers instauré par le président, qui paraît se complaire dans l'avilissement des siens.

À en croire Plutarque, Caton le censeur disait : « L'animal que l'on nomme roi est par nature carnivore. » Pendant les cinq mois qui précéderont le remaniement, le chef de l'État va bien s'amuser avec les siens, les divisant et les déchiquetant à plaisir.

Il ne sera pas pour autant à la fête...

38

« Petit frère des riches »

> « L'argent ne fait pas le bonheur de celui qui n'en a pas. »
>
> Boris Vian

La Légion d'honneur est une « exception française ». Une survivance du passé qui tient du goûter d'anniversaire et de l'enterrement de première classe. Par anticipation s'entend : le réceptionnaire est censé monter au septième ciel en écoutant son propre éloge funèbre prononcé par celui qui lui accrochera le hochet sur la veste, sous les applaudissements de l'assistance.

Comme Mitterrand et Chirac, Sarkozy a fait de la Légion d'honneur un instrument de son pouvoir pour s'attirer les bonnes grâces des uns ou des autres, quand il ne s'agit pas de récompenser les siens, tout simplement. La décoration, attribuée discrétionnairement aux copains, est l'un des piliers de notre monarchie républicaine.

Il ne se passe pas de mois où il ne remette un hochet à une figure du monde des affaires, ce qui est chaque fois l'occasion de réunir à nouveau la bande du Fouquet's dans les salons de l'Élysée où se déroule la réception. Après les discours, on se retrouve pour se goberger de canapés et de petits-fours sous les lambris, aux frais de la République.

Souvent, entre les invités qui se pressent autour de lui, Nicolas Sarkozy tient, en se frayant un passage, des propos du genre : « Y a du monde, hein, et du beau monde. Il va falloir que je fasse attention à ce que je dis. Vous êtes tous mes futurs patrons en puissance. Vous serez bien obligés de m'embaucher un jour : vous savez que moi, je sais remonter une boîte. Quand j'étais ministre des Finances, Alstom ne valait plus rien. Vous avez vu ce que ça vaut aujourd'hui, hein, vous avez vu ? La France a fait une bonne affaire, n'est-ce pas ? Eh bien, quand je ne serai plus président, vous savez ce que je ferai, vous le savez ? Du fric et encore du fric. Puisque je sais en faire, y a pas de raison que je n'en fasse pas moi aussi à mon tour. »

Comme beaucoup de gens, j'ai entendu Nicolas Sarkozy me dire plusieurs fois avant son élection : « Je ferai un mandat, un seul, et quand j'aurai réformé la France, j'irai dans le privé et je ferai de l'argent. »

Propos désarmants que je mettais sur le compte de son goût de la transgression. Je n'y attachais pas d'importance. Il me semblait qu'en les tenant aussi souvent, il cherchait seulement à choquer les manants dans mon genre, confits dans leurs tabous.

Nicolas Sarkozy a un rapport décomplexé envers de l'argent. Pour lui, c'est le curseur de la réussite. Quand il remet la Légion d'honneur à Stéphane Richard qui a fait fortune dans l'immobilier, avec Nexity dont il fut le patron, avant de devenir directeur de cabinet de Christine Lagarde à Bercy, puis numéro un de France Télécom, le président lui dit : « Un jour, Stéphane, je serai plus riche que toi ! »

Il y a une forme d'amertume, voire de jalousie, dans cette apostrophe. Il suffit de l'avoir entendu maugréer, toujours avec une pointe de fascination, contre certains patrons dès qu'ils ont le dos tourné : « Celui-là, qu'est-ce qu'il se goinfre ! Et l'autre, alors là, il se bourre, c'est fou ce qu'il se bourre ! » Il suffit de l'écouter s'adresser à certains de ses conseillers de l'Élysée qui, tels François Pérol ou Patrick Ouart, ont su amasser un joli magot dans le privé avant d'y retourner : « Vous qui êtes plus riches que moi... »

Quand il arrive à l'Élysée, l'une de ses premières préoccupations concerne son salaire. Dès le lendemain de son investiture, le 17 mai 2007, il convoque dans son bureau Emmanuelle Mignon, sa directrice de cabinet. La scène a été racontée par Renaud Dély et Didier Hassoux dans leur livre, *Sarkozy et l'argent roi*[1].

« Et Chirac ? Combien il gagnait ? demande le nouveau président.

— Officiellement, le président Chirac recevait 6 400 euros par mois.

— Je ne te demande pas "officiellement". »

Emmanuelle Mignon fait la somme de toutes les retraites de l'ex-président (ancien député, ancien maire de Paris, ancien conseiller général, ancien conseiller référendaire à la Cour des comptes, ancien officier de l'armée de terre, etc.) et arrive à la somme de 20 000 euros nets mensuels.

Le nouveau président s'étrangle :

« Tu es en train de me dire que, devenu président, je vais toucher moins que ministre !

— Absolument, monsieur le président.

1. Calmann-Lévy, 2008.

— Franchement, c'est surréaliste… Il est hors de question que mon salaire soit en baisse comparé à celui que je touchais à Beauvau. »

Nicolas Sarkozy s'accordera finalement une augmentation de 200 %. Soit un salaire de 19 331 euros nets mensuels. À peu près l'équivalent de celui du Premier ministre qui, auparavant, était le plus élevé.

Il justifie cette décision en répétant : « Je veux renoncer à l'hypocrisie. » Sans doute entend-il aussi pouvoir payer en toute légalité sa pension alimentaire, après son divorce avec Cécilia…

Avec cette auto-augmentation, annoncée peu après que François Fillon eut déclaré qu'il était à la tête d'un État en situation de faillite, le président a pris des risques. Il a apporté de l'eau aux moulins populistes. Il s'est, surtout, accroché un grelot pour le reste de son mandat.

Mais ce n'est rien à côté de sa dangereuse proximité avec le monde des affaires. Il y a longtemps déjà, Édouard Balladur disait à propos de Nicolas Sarkozy : « Il faudra qu'il choisisse entre la politique et l'argent. » Il n'a pas choisi. Il ne choisira jamais. Certes, il a opté pour la politique, mais il garde des yeux de Chimène pour l'argent. La preuve, il semble préférer la compagnie des riches avant toute autre, celle, par exemple, des intellectuels, des scientifiques ou des parlementaires. À sa table, il y a toujours la place du riche comme il y a, chez d'autres, la place du pauvre. C'est un richophile comme il y a des europhiles ou des zoophiles.

Qu'importe s'il s'ennuie à mourir pendant les dîners de riches, pourvu qu'il trouve des grosses fortunes à table : il y a là-dedans une passion enfantine mêlée d'une étrange fascination.

En juillet 2010, alors que Jean-Louis Debré a un rendez-vous à l'Élysée, Nicolas Sarkozy arrive tout excité dans le salon où il a fait attendre le président du Conseil constitutionnel.

« Tu sais qui vient de descendre l'escalier ? demande le président avec l'air de celui qui est encore dans l'extase de l'apparition.

— Je vais bientôt le savoir.

— Bill Gates. Oui, Gates en personne. Devine combien il gagne, tu ne peux pas imaginer ce que ça fait... »

Et de donner un chiffre que Debré a bientôt oublié.

Quelques mois plus tard, le 14 novembre exactement, il a organisé un dîner de copains, au palais de l'Élysée, autour de Michel Houellebecq qui a reçu le Goncourt, une semaine auparavant, pour *La carte et le territoire*. Ce qui l'intéresse surtout, chez cet écrivain, ce sont ses droits : « Est-ce que c'est 18 % ? Moi, c'est 18 %. » Devant la tablée méduse, il demande également le montant de son à-valoir et une estimation de ce qu'il va gagner.

Des scènes comme celle-là, il y en a beaucoup dans la biographie de Sarkozy. Quand il décline l'état civil d'une personne, il serait du genre, s'il s'écoutait, à vous donner sa fortune, juste après le nom et le prénom, comme on peut le faire au Texas.

Patrick Devedjian, ancien vieil ami de Nicolas Sarkozy, explique ainsi son obsession de l'argent : « Il ne faut jamais oublier qu'il a passé sa jeunesse à Neuilly, pauvre parmi les riches. Son père était parti et ne faisait pas profiter ses enfants de l'argent qu'il gagnait quand il en gagnait. Sa mère se débrouillait comme elle pouvait, courageusement. Il vendait des glaces tout l'été pour se faire de l'argent de poche. Il avait le sentiment d'être sur le bas-côté et citait souvent Barrès : "Jeune, infiniment sensible, et parfois peut-être humilié, vous êtes prêt pour l'ambition." »

Il a laissé l'ambition mener sa première vie, il a prévu que l'argent conduirait la seconde. Francis Scott Fitzgerald nous a appris, dans *Gatsby le Magnifique*, que le bonheur est toujours en face. Tant il est vrai que le bonheur, c'est ce qu'on n'a pas.

Même s'il se prétend riche depuis son mariage avec Carla, Sarkozy sait qu'il ne sera jamais un nabab, ni un magnat, ni un bâtisseur d'empire. Il ne lui reste plus qu'à se soigner de ses rêves fracassés en nouant des liens avec toutes les grosses fortunes de France qu'il fréquente assidûment, comme s'il voulait devenir l'un des leurs. Il est le complice, l'obligé, l'ami dévoué. Tout ce qui les concerne l'implique en premier lieu. C'est ainsi qu'il sera éclaboussé, par ricochet, quand éclatera l'affaire Bettencourt qui tournera peu à peu à l'affaire d'État.

39

République bananière

« Être riche, ce n'est pas avoir de l'argent, c'est en dépenser. »

Sacha GUITRY

Il y a les mouches à célébrités : la renommée les attire parce qu'elles se voient plus belles dans le regard des personnes connues. Il y a aussi les mouches à riches : elles rêvent et s'enivrent en même temps de faste et de magnificence en compagnie des grosses fortunes.

Sarkozy appartient aux deux catégories comme il l'a montré lors de la soirée du Fouquet's, la nuit de son élection. Il a un gros faible pour les riches avec qui il aime parler sur un pied d'égalité, comme s'il était l'un des leurs. Ses héros qui sont par ailleurs ses amis s'appellent Bernard Arnault, Paul Desmarais et Albert Frère.

Autant dire qu'il a aussi beaucoup fréquenté les Bettencourt. Un couple étrange. Doux et urbain, surnommé « Dédé » par ses employés de maison, André est un ancien compagnon de Mitterrand, secrétaire d'État de Mendès France, du général de Gaulle, puis de Pompidou, qui traîne un mélange d'ennui et de mélancolie. Une caricature de riche aristocrate neurasthénique. Il est vrai qu'il porte comme une croix les quelques pages aux mauvais relents qu'il a écrites pendant

l'occupation nazie et qu'on lui remet régulièrement sous le nez. Liliane, son épouse, est l'héri-
tière d'Eugène Schueller, le fondateur de L'Oréal,
proche de la Cagoule et de l'extrême droite dans
les années trente et quarante. Vive, drôle et délu-
rée, la « femme la plus riche de France » est toujours une attraction dans les dîners en ville.

Comme tous les riches qui se respectent, les
Bettencourt ont mis au pot pour l'élection du
« petit Nicolas », puisque c'est ainsi qu'on
l'appelle, avec tendresse, dans les beaux quartiers.
Ils ont donc financé leur candidat à raison de
30 000 euros, en toute légalité. Mais en ont-ils fait
plus ? Y a-t-il eu aussi, comme cela se produit
encore souvent, du liquide dans les enveloppes ?

C'est la question que l'on est en droit de se
poser quand on observe la méticuleuse attention
que Nicolas Sarkozy a toujours portée, d'entrée
de jeu, au dossier Bettencourt. À croire que
le président redoute qu'il ne lui explose à la
figure. Tout au long de cette affaire, il donne en
effet l'impression de vouloir cacher quelque
chose. Un secret.

Peut-être n'est-ce qu'une impression. Peut-être
cède-t-il là encore à son mauvais penchant :
« C'est moi qui dois m'occuper de tout. » Mais
l'interventionnisme de l'Élysée dans ce qui n'était,
au départ, qu'une tragédie familiale, nourrit les
soupçons.

Récapitulons. Après la mort d'André Bettencourt
en 2007, Liliane fait don d'une partie de sa fortune,
il est vrai colossale, au dandy-photographe
François-Marie Banier, un as du rond de jambe.
Il y en a déjà pour un milliard et ce ne serait pas
fini si Françoise Meyers-Bettencourt, la fille de
Liliane, n'avait décidé de mettre le holà en sai-
sissant la justice.

Elle considère que sa mère est en état de faiblesse et que Banier en profite. Au magazine *Elle*, elle déclare que la vieille dame même pas indigne a été « abusée » et qu'elle veut la « protéger », la « retrouver ». Même si la famille Bettencourt est l'actionnaire de référence du groupe L'Oréal, on est là dans l'intime, le président n'a pas à s'en mêler.

Or, quand l'affaire éclatera au grand jour, jusqu'à tourner au déballage avec la publication d'enregistrements réalisés par le maître d'hôtel de Liliane Bettencourt, il apparaîtra que le chef de l'État suivait ce conflit privé de très près par l'entremise de son ami Philippe Courroye, le procureur de Nanterre, et de son collaborateur Patrick Ouart, un juriste brillant, qui navigue entre l'Élysée et LVMH, sa maison mère, au point qu'on ne sait plus bien pour qui il travaille. Pis, il n'y a aucun doute que Sarkozy a tout fait pour étouffer cette histoire. Qu'il a, en somme, entravé par ses différents relais la marche de la justice.

Philippe Courroye est à la manœuvre. À la surprise générale, le chef du parquet de Nanterre a décidé, pendant l'été 2009, de classer le dossier, ce qui n'a pas empêché Françoise Meyers-Bettencourt de contre-attaquer. Depuis, il s'est assis dessus et ne s'en prend qu'aux auteurs des fuites. Gare à ceux qui veulent faire éclater la vérité ; ils seront poursuivis.

C'est ainsi que le procureur a déclenché de lui-même, sans attendre les plaintes, une enquête pour « atteinte à la vie privée » contre le maître d'hôtel de Liliane Bettencourt, qui avait enregistré les conversations entre la vieille dame et l'étonnante faune qui la « conseillait » pour ses affaires financières ou juridiques. Une faune dont la proximité avec le système Sarkozy est transparente.

Courroye a gagné son surnom : « Courroye de transmission ». La justice lui est chère ; Sarkozy, plus cher encore. Quand la comptable de Liliane Bettencourt, Claire Thibout, porte des accusations contre le chef de l'État, toute la machine policière et judiciaire se met en branle d'un coup. Le crime de cette femme qui a travaillé douze ans avec la vieille dame, c'est d'avoir déclaré au site Médiapart : « Tout le monde savait dans la maison que Sarkozy aussi allait voir les Bettencourt pour récupérer de l'argent. C'était un habitué. Le jour où il venait, lui comme les autres d'ailleurs, on me demandait juste avant le repas d'apporter une enveloppe kraft demi-format avec laquelle il repartait. »

Ce n'est pas la fin du monde : il n'y aura jamais de preuve. Au surplus, Claire Thibout relativise : « C'était un vrai défilé d'hommes politiques dans la maison. Ils venaient souvent au moment des élections. "Dédé" » arrosait large. Chacun venait toucher son enveloppe. Certains atteignaient même parfois 100 000, voire 200 000 euros. »

Après la diffusion de ses déclarations, tous les moyens de l'État sont déployés, toutes affaires cessantes, pour retrouver la comptable, partie en vacances, du côté d'Arles. Le chef de l'État harcèle son ministre de l'Intérieur au téléphone : « Qu'est-ce que tu fous ? Qu'attendez-vous pour la localiser ? » Quand, enfin, la police met la main sur Claire Thibout, elle rétropédale sans démentir pour autant. Interrogée pour la quatrième fois en une semaine par la police, elle qualifie seulement de « possible » la remise d'enveloppes à Nicolas Sarkozy.

Rien ne dit que Nicolas Sarkozy ait touché la moindre enveloppe de la part des Bettencourt. Mais force est de constater que, en surréagissant, il a tout fait pour qu'on le croie. Telles sont les limites de sa pratique républicaine. Elle s'approprie la police, privatise la justice et s'arroge tous les droits. Du coup, elle provoque la suspicion.

Quand on tient tout, on ne contrôle plus rien, surtout pas les rumeurs. L'affaire Bettencourt aura jeté une lumière crue sur un mode de fonctionnement qui n'est pas digne d'une grande démocratie et qui évoque irrésistiblement les républiques bananières.

Passons sur Banier, le vieil éphèbe vorace ; passons aussi sur les aigrefins, Légion d'honneur à la boutonnière, qui s'affairaient autour de « la femme la plus riche de France », en se vantant d'avoir le bras long : les personnages de ce genre, mus par la vanité et la cupidité, sont de toutes les époques. Ils ne méritent pas que l'on s'attarde sur eux.

Ce que l'affaire Bettencourt a révélé, ce n'est pas la bassesse de certaines natures, mais la consanguinité, la dépravation et la dégénérescence d'un système où tout se vaut, la justice, la police, les intérêts supposés du président ou les petites combines des uns et des autres. Le moins accablant pour le régime n'aura pas été le rôle d'Éric Woerth dans ce feuilleton. Une incarnation vivante du mélange des genres. Un homme sérieux, compétent et promis à un grand avenir, qui a tout confondu, sa caisse, la République et la carrière de sa femme, probablement sans s'en rendre compte. Qu'on en juge : d'abord, il cumule son portefeuille ministériel, celui du Budget puis celui du Travail, avec le poste de trésorier de l'UMP. Ensuite, il fait bénéficier son parti des largesses de Liliane Bettencourt par l'entremise d'un gestionnaire de fortune auquel il remettra la Légion d'honneur et qui, par ailleurs, embauchera son épouse dans sa société, une société qui travaille, comme de bien entendu, pour « la femme la plus riche de France ». Apparemment, rien d'illégal dans tout cela, mais beaucoup de coïncidences malheureuses.

Nous voilà loin de la « République irréprochable » que nous annonçait Nicolas Sarkozy, pendant la campagne de 2007, avec l'air de : « Vous allez voir ce que vous allez voir. » On assiste là à une sorte de privatisation de la République. Si le président prétend être de son temps, cet épisode montre que sa pratique du pouvoir date de Louis-Philippe, et encore, on est très généreux. Pétrone avait déjà tout dit dans le *Satiricon* : « Que peuvent les lois, là où ne règne que l'argent ? »

40

La valse des faux derches

> « L'indécis laisse geler sa soupe de l'assiette
> à la bouche. »
>
> CERVANTÈS

Nicolas Sarkozy n'est pas du genre à se contenter de ce qu'il a. Comme Don Juan qui n'aimait
que les femmes qu'il n'avait pas eues, le président
a toujours besoin d'aller voir ailleurs. Quand il
s'agit de séduire ou de recruter, il s'adressera ainsi
en priorité à ceux qui ne sont pas dans son camp.

D'où le triomphe, dans la République sarkozyenne, de tous ceux qui l'ont picoté, gourmandé,
voire insulté. Le chef de l'État ne supporte pas
qu'on le haïsse. L'éloge vous maintient dans son
cercle ; la critique vous y fait entrer. Cet homme
est avant tout dans la séduction. À tous et à
toutes, il conte fleurette et propose la botte. Particulièrement, quand ils l'ont dénigré.

Lors du mini-remaniement qui suit les régionales, Nicolas Sarkozy fait ainsi entrer au gouvernement deux députés qui, depuis son élection,
ne se sont jamais privés de le tacler : le chiraquien
François Baroin déboule au Budget et le villepi-
niste Georges Tron à la Fonction publique.

Le président a fait sienne la formule
d'Henri IV : « Le meilleur moyen de se défaire
d'un ennemi est d'en faire un ami. » À part trois

ou quatre opposants qui, tels Villepin ou Royal, lui font monter la bave aux lèvres, il soigne les autres. Il les pelote, les dorlote et les berce d'espérances.

Les amis peuvent attendre. Surtout quand ils sont fidèles et dévoués. Sans cesse en recherche, Nicolas Sarkozy n'a au demeurant pas de meilleur ami, sinon Patrick Balkany, célèbre bienfaiteur de l'humanité, dont il apprécie la joie de vivre autant que le regard protecteur. Et quand, par hasard, il a un très grand ami, il ne le connaît que depuis quelques jours. De plus, il ne le garde jamais longtemps avant de passer au suivant. C'est un ami volage et un président versatile. Mais il y a chez lui quelque chose qui retient son bras quand il s'agit de couper les ponts.

Après les régionales, il les a toutefois coupés lui-même avec Xavier Darcos, ministre du Travail, qui sera la victime expiatoire du mini-remaniement du printemps 2010. Il est vrai que ce spécialiste d'Ovide appartenait à une espèce quasiment disparue, celle des hussards noirs de la République qui mettaient la culture plus haut que tout. Darcos entretenait, de surcroît, d'exécrables relations avec Raymond Soubie, le conseiller social de l'Élysée qu'il jugeait « mou, velléitaire et dépassé ».

Mais la grande faute de Xavier Darcos fut surtout d'avoir été un loyal serviteur qui partit, sur ordre, au casse-pipe, pour reprendre la région Aquitaine au socialiste Alain Rousset. « Ne t'en fais pas, quels que soient les résultats, je te garderai », avait promis le président. Viré. « Je te nommerai à la direction du château de Versailles », lui assure Sarkozy lors de l'entretien de licenciement. Darcos se retrouvera à la tête des services culturels extérieurs de la France...

Encore le cas Darcos est-il un contre-exemple. Nicolas Sarkozy ne donne généralement que les bonnes nouvelles. Pas les mauvaises. C'est donc à Claude Guéant ou à François Fillon que revient, la plupart du temps, la rude tâche d'annoncer leur limogeage aux intéressés. Souvent, quand le président décide de révoquer l'un des siens, il procède par petites touches et demi-confidences, jusqu'à ce que les rumeurs parviennent, par cercles concentriques, aux oreilles des personnes concernées qu'il ne reste plus qu'à remercier.

C'est la stratégie qu'il a adoptée avec François Fillon. Le mercredi qui suit le second tour des régionales, le président a invité Jean-Pierre Raffarin à partager son petit-déjeuner, c'est-à-dire une compote de pommes et, dans les bons jours, un yaourt. À moins que ce ne soit l'inverse.

« Il faut que tu fasses un remaniement tout de suite, dit Raffarin, ça apaisera les tensions.

— Non, je ne peux pas remanier maintenant. C'est sûr, il faut que je change de Premier ministre. Mais si je nomme le nouveau avant la réforme des retraites, il aura perdu sa culotte après. Je garderai donc Fillon jusqu'en octobre. À ce moment-là, il sera épuisé.

— Fillon ne sera pas épuisé, prédit Raffarin. Épuiser quelqu'un est une chose que tu ne sais pas faire. Parce que tu t'exposes tout le temps. »

Le chef de l'État tente en tout cas, à partir de ce jour de mars 2010, d'« épuiser » Fillon nerveusement. Il ne se contente pas d'annoncer à Raffarin et à toutes les éminences de la majorité le départ imminent du Premier ministre, il le soumet à une sorte de supplice chinois en évaluant régulièrement, en petit comité mais sans craindre que cela se sache, les atouts et faiblesses des deux principaux impétrants pour Matignon : Jean-

Louis Borloo et Michèle Alliot-Marie. Sans oublier de dresser la liste des ministres « nuls » qu'il faudra liquider en temps voulu. On reste confondu devant la cruauté d'une démarche qui lui donne la main, mais qui abaisse toute la nomenklatura sarkozyenne qu'elle transforme en valetaille aux abois.

Le 30 juin 2010, quand il annonce aux parlementaires UMP le grand remaniement d'automne qui marquera « une nouvelle étape » de son règne, Nicolas Sarkozy a décidé d'en finir avec François Fillon. Il est dans la position du général de Gaulle avec Georges Pompidou, du même Pompidou avec Jacques Chaban-Delmas ou de François Mitterrand avec Michel Rocard. Il ne supporte plus ce Premier ministre qui l'a semé dans les études d'opinion. Sa seule présence à ses côtés est devenue une atteinte à son autorité.

Pendant des semaines, le président va donc balancer, tel l'âne de Buridan, entre Alliot-Marie et Borloo, puis entre ce dernier et Le Maire ou Baroin, les deux ministres les plus prometteurs du gouvernement. Il mènera sa réflexion au grand jour avec la mine gourmande des monarques qui vérifient leur pouvoir, tandis que les uns et les autres se mettront en frais pour lui plaire.

41

Le sacre de Fillon

« À la guerre, on devrait toujours tuer les
gens avant de les connaître. »

Michel AUDIARD

François Fillon s'est apparemment fait une raison. Il envisage de quitter son fief de la Sarthe et
d'atterrir à Paris où il guignerait la deuxième circonscription, celle de Jean Tiberi qui pourrait
être invalidée. Le genre de circonscription que
l'on garde à vie et même après sa mort. Il se ver-
rait bien, ensuite, maire de la capitale en attendant l'élection présidentielle de 2017.

Sans se départir de son petit sourire de premier
communiant, le chef du gouvernement observe
avec un certain dédain le ballet des candidats à
sa succession. Ils s'y voient tous, à Matignon.
Jean-Louis Borloo, notamment. Il est vrai que le
ministre de l'Écologie a reçu pas mal d'encoura-
gements du président : s'il ne lui a rien promis,
Nicolas Sarkozy lui a au moins laissé entendre
qu'il pourrait être l'homme de la situation.

Il y a plusieurs mois déjà, Jean-Louis Borloo,
ministre sans interruption depuis 2002, lui avait
fait part de son intention de prendre du champ.
Le président n'a cessé, depuis, de chercher à le
retenir en lui faisant miroiter un grand avenir.

« Je vais tout changer, lui dit souvent Sarkozy.

— Mais tu ne pourras jamais changer ta façon de gouverner ! Avec toi, il faut toujours que tout remonte toujours à l'Élysée, ça crée des embouteillages dingues, ça retarde les décisions, ça déresponsabilise tout le monde. »

Le chef de l'État est si insistant que Borloo finit par le croire. En août, de passage dans le Var, il téléphone au président qui l'invite à dîner au Cap Nègre, sa résidence d'été. Il arrive à l'heure dite, la tête pleine d'idées et de projets. Il est convaincu qu'il va passer son examen de passage. Erreur. Ce soir-là, les Sarkozy partagent leur table avec Leonardo DiCaprio et Naomi Campbell. Autant dire qu'il sera peu question de politique française.

Le ministre de l'Écologie ne perd pas pour autant espoir. Il sait qu'il peut compter sur de solides appuis dans la Sarkozie, notamment sur ceux d'Alain Minc et de Patrick Balkany. Même si Sarkozy joue le Sphinx, il ne cache pas son faible pour Borloo. Aux siens qui l'abjurent de le nommer à Matignon parce que « l'élection présidentielle se jouera au centre », le président tient des propos du genre : « Je n'ai rien contre Jean-Louis, ce serait une très bonne idée. »

Après quoi, le chef de l'État demande une note à Bruno Le Maire, le ministre de l'Agriculture, sur ce qu'il ferait s'il était promu à Matignon, avant de souffler à l'oreille de François Baroin, le nouveau ministre du Budget : « Déploie-toi. » On dirait Volpone, le riche et vieux Vénitien du XVe siècle, qui, sur son lit de mort, dans la pièce de Ben Jonson, fait monter les enchères entre ses héritiers. Sauf que Sarkozy est, lui, en pleine forme.

S'il le pouvait, notre fringant Volpone national les nommerait tous à Matignon, pour mieux les diviser.

Comme l'écrit Charles Jaigu avec humour dans *Le Figaro*[1], « tout le monde se prépare pour la noce, sans savoir exactement quand elle aura lieu, ni quels seront les mariés et leurs témoins ». En fait de noce, on sait déjà qu'elle sera sanglante, si l'on en juge par le dézingage de ses ministres auquel se livre Nicolas Sarkozy en privé.

En quarante ans de carrière, jusqu'à l'arrivée de Sarkozy à l'Élysée, jamais je n'ai entendu un président parler aussi mal de ses affidés. Pour Mitterrand, tous ses ministres étaient des génies et je me souviens encore de l'avoir entendu parler d'Édith Cresson comme d'une femme qui allait laisser « une trace » et qui irait « plus loin » que Simone Veil. Quant à Chirac, il pouponnait les membres de son gouvernement. Surtout quand ils étaient mauvais. Il allait jusqu'à célébrer sans cesse « l'intelligence » des plus bêtes d'entre eux. Il exagérait tellement leur talent qu'il m'a dit un jour à propos d'Alain Devaquet, agrégé et docteur ès sciences, qui fut son ministre furtif : « C'est l'un des grands savants du siècle. Un jour, il aura le prix Nobel ! » Les temps ont changé.

Jadis, quand on se parlait encore, je m'étais trouvé dans la situation de défendre certains de ses ministres devant Sarkozy. Cette fois-ci, c'est l'un de ses opposants les plus déterminés, François Bayrou, venu à l'Élysée pour parler des retraites, qui prend la défense du Fillon tant honni.

« Je ne comprends pas pourquoi tu te fâches avec Fillon, lui dit Bayrou, le 20 septembre 2010. Il a sans doute des défauts, ce n'est peut-être pas

----

1. Le 27 septembre 2010.

un héros, mais au moins il est honorable et respectable, ce n'est pas rien. »

Tête de Sarkozy. Il ne poursuit pas la conversation, signe qu'il est toujours décidé à s'en défaire.

Le 27 octobre, lors du traditionnel tête-à-tête du mercredi avant le Conseil des ministres, François Fillon, fataliste, lui dit qu'il est prêt à passer le relais. Il a lu la presse et plus particulièrement la page 2 du *Canard enchaîné* qui, chaque semaine, est pleine des horreurs que le président a débitées contre lui. Il n'a plus envie de continuer.

« Je veux que tu restes, lui dit Sarkozy, mais il faudrait que tu dises publiquement que tu as envie de rester.

— Il faut bien réfléchir, Nicolas. On a un problème d'image dans l'exécutif. Et puis on a pris des habitudes. Si tu veux vraiment changer la répartition des rôles et redonner des pouvoirs au Premier ministre, ça te sera peut-être plus facile avec un autre qu'avec moi.

— Je veux que tu restes. Que veux-tu qu'on change ? »

Ils auront souvent, désormais, ce type de discussion. Sarkozy commence à comprendre que le limogeage de Fillon le déstabiliserait au lieu de le renforcer. Il est même possible que le Premier ministre, une fois limogé, se trouve un « destin national », de la même façon que Pompidou s'était déclaré après que de Gaulle l'eut destitué, précipitant ainsi la chute du Général. Il ferait un bon candidat à la présidence. En 2017 ou... en 2012.

Le président lui découvre des qualités, tout à coup. Sa popularité auprès des parlementaires UMP. Son sang-froid quand tout s'agite autour de lui. Sa loyauté aussi, même si elle n'est pas payée de retour.

La cote de Fillon va ainsi remonter au fil des jours, à la bourse du sarkozysme. Jusqu'à ce que le Premier ministre accède enfin à la demande du président, formulée à plusieurs reprises, en lui faisant une sorte de déclaration d'amour publique. Encore une première dans l'histoire de la République : après le remaniement sur plusieurs mois, voici le serment de fidélité. Le chef du gouvernement y dira « l'honneur » – pas le bonheur, n'exagérons pas – de servir sous l'autorité d'un homme pour qui il a « une profonde estime personnelle ».

Le darwinisme a des limites. En plus, il fait toujours des morts. Au terme de cette compétition d'un genre nouveau qui devait sélectionner le meilleur, il reste sur le tapis quelques hommes dont le dernier n'est pas Jean-Louis Borloo : son grand tort est d'avoir cru à la bénédiction du chef de l'État, quand il s'est lancé dans sa course pour Matignon.

Jusqu'au dernier moment, Nicolas Sarkozy lui a fait croire que rien n'était joué. Quand, enfin, il se décide à lui avouer qu'il gardera Fillon, il propose tout à Borloo, la botte et la rente : « Un grand ministère de l'Économie, avec l'Emploi, le Budget, les Technologies, tout ce que tu veux. » Non seulement l'ex-favori pour Matignon refuse, mais il explose : « Vous m'avez tous pris pour un con ! Je suis le couillon du gouvernement ! »

Il fut surtout un boute-en-train, comme on dit en science chevaline. Un rôle que Chirac lui avait déjà dévolu, on l'a vu, il n'y a pas si longtemps. Borloo a mis de l'animation et réveillé les instincts. Notamment l'instinct de tueur de Fillon qui, pendant cette période, l'a souvent raillé avec un plaisir non dissimulé.

Borloo à terre, c'est évidemment Fillon qui apparaît comme le grand vainqueur du remaniement. C'est pourquoi les commentaires sont assassins pour Sarkozy dans les jours qui suivent.

« Fillon garde Sarkozy », ironise *Libération*. « Ce remaniement, en fait, est un renoncement », commente Laurent Joffrin, son directeur, à côté d'un article titré : « Fillon, l'hyper-Premier ministre ».

« C'est la première fois sous la Ve République, observe Carole Barjon dans *Le Nouvel Observateur*, que la majorité parlementaire impose, de fait, son choix, la première fois qu'un Premier ministre s'impose donc ainsi au président de la République. »

Le chef de l'État « voulait tout changer », notent Éric Mandonnet et Ludovic Vigogne dans *L'Express*. « Il a surtout changé d'avis. »

« Sarkozy liquide le sarkozysme », affirme Nicolas Domenach dans *Marianne* : « L'UMP, ce rassemblement partisan de sensibilités diverses, est mort. Vive le RPR sarkozyste ressuscité ! »

La montagne n'a même pas accouché d'une souris, mais d'une musaraigne : un gouvernement de fermeture qui sent la fin de règne.

François Fillon s'est renommé à Matignon et Claude Guéant au secrétariat général de la présidence de la République. Quant à Jean-François Copé, il a pris une sérieuse option pour l'avenir en s'auto-désignant à la tête de l'UMP.

Il faut que Sarkozy ait été bien faible ou démuni pour confier au maire de Meaux les clés du parti majoritaire : on ne voit pas Copé les lui rendre. Il est vrai que le président l'a installé avec le calcul qu'il serait son meilleur allié contre

Fillon au nom de la maxime énoncée par Machiavel, qui a beaucoup servi : « *Divide ut regnes* » (« Diviser pour régner »). Il n'a pas imaginé que ces deux-là pourraient un jour s'allier contre lui. Copé est un homme libre. Le président n'a aucune prise sur lui.

« Je vais t'aider, lui a seriné Copé. Mon intérêt est que tu sois réélu en 2012. »

Ce qui reste à prouver. Jean-François Copé est à la tête d'une petite entreprise qui a de grandes ambitions. Dans sa bande, il y a François Baroin, Bruno Le Maire, Valérie Pécresse, Luc Chatel et Christian Jacob. « On est tous des bébés Chirac, dit le nouveau secrétaire général de l'UMP. Des gens sains et droits, sans arrière-pensée, avec beaucoup d'humour et un bon esprit. »

Des gens très décidés aussi. Sarkozy n'aime pas l'idée que Jacob succède à Copé à la présidence du groupe UMP à l'Assemblée nationale.

« Si tu laisses Jacob prendre le groupe, dit le président, pathétique, à Copé, on aura l'impression que tu m'as enfilé. »

Ce n'est pas qu'une impression.

Depuis longtemps, pour ne pas me tromper, j'ai pris l'habitude d'écouter, non pas les politologues, les chroniqueurs ou les perroquets du microcosme, mais des élus de la France profonde, rétifs au panurgisme, qui ont toujours un peu de terre et de terroir sous la semelle de leurs chaussures. Des personnages comme Pierre Mauroy, Jean-Claude Gaudin ou Jean-Pierre Raffarin.

Avec son air de guetteur de taupes du Poitou, Raffarin est ce qu'on appelait jadis un homme entendu. On ne la lui fait pas. Pour résumer la pantalonnade du remaniement, il a trouvé la meilleure formule :

« Fillon a été le seul Premier ministre à savoir six mois à l'avance qu'il serait nommé. Il a eu le temps de se préparer. Il a su six mois à l'avance qu'il serait viré. Il a eu le temps de l'éviter. »

Raffarin a trouvé, de surcroît, le meilleur apologue pour résumer l'état des lieux à droite, après le remaniement, avec l'avènement d'un pouvoir à trois têtes, Sarkozy-Fillon-Copé. Sarkozy a-t-il bien fait, de son point de vue, de nommer Copé à l'UMP afin qu'il marque à la culotte Fillon, son ennemi supposé ? Cela reste à prouver, dit-il, si l'on se souvient du « syndrome Vertadier ».

« C'était en 1977, se souvient Raffarin. Deux espoirs de la droite, le RPR Jean-Yves Chamard et le centriste Jacques Grandon, se battaient pour prendre la succession de Pierre Vertadier à la mairie de Poitiers. Ils se sont mis à trois ministres d'État, Guichard, Lecanuet et Poniatowski, pour clore la bagarre avec une idée géniale : la reconduction de Vertadier comme candidat de la droite. Total, les deux espoirs ont fait alliance et se sont présentés contre Vertadier, à la surprise générale, pour le plus grand bonheur de la gauche qui a conquis la ville. La morale de cette histoire, c'est qu'il est plus facile de s'entendre à deux qu'à trois. »

En politique comme ailleurs, c'est souvent quand on se croit très intelligent qu'on finit par devenir très bête.

42

Le syndrome de l'aubain

> « Qui s'enseigne lui-même pourrait bien
> avoir un sot pour maître. »
>
> Saint Bernard

Il ne connaît rien mais il sait tout. Il parle sans arrêt mais il ne dit rien. Il n'écoute personne mais il entend. Enfin, parfois, quand on crie plus fort que lui.

Nicolas Sarkozy ne semble pas sortir d'un livre d'histoire mais plutôt d'un feuilleton américain à la *24 heures chrono*, série dont il a avalé les épisodes à la chaîne avec son épouse, entre un film de Lubitsch et un autre de Pasolini.

C'est ce qui rend Sarkozy si décalé dans la galerie des présidents de la Ve République. Ses prédécesseurs rappelaient toujours quelqu'un d'autre. À commencer par de Gaulle qui évoquait forcément Jeanne d'Arc. La même posture, la même mystique, les voix en moins.

Les grands hommes de la Ve République s'inscrivaient jusqu'alors dans une tradition, ils appartenaient à une filiation. L'Histoire repassant indéfiniment les mêmes plats, les mêmes caractères et les mêmes gueules, on voyait ainsi Georges Clemenceau, le « Tigre », percer sous François Mitterrand, ou André Tardieu, le conservateur novateur, sous Valéry Giscard d'Estaing.

Avec Sarkozy, on perd les repères et les références. Même si on peut lui trouver des traits communs avec Thiers, Guizot ou Louis-Philippe, il n'est pas de leur famille. Il ne correspond à rien de ce que la France a connu. C'est une sorte d'orphelin de la politique qui s'est fait tout seul et dont les pères spirituels ne furent que des marchepieds. Un aubain, comme on disait dans la France de l'Ancien Régime pour désigner l'étranger fixé dans le royaume sans être naturalisé.

De cela, Sarkozy ne tire aucun complexe mais, au contraire, une certaine fierté. Il n'est au demeurant impressionné par personne, pas même par de Gaulle. Le 5 juin 2008, il m'a dit devant témoins : « Moi, gaulliste ? Ce n'est pas aussi simple. Le général de Gaulle fut un grand homme en juin 1940, puis en mai 1958. La première fois, il nous a rendu l'honneur et la seconde fois, donné une Constitution. Mais après ? Quel est son bilan ? Laissez-moi rigoler. Qu'est-ce qu'il a fait, au juste, en dehors de s'accrocher à un pouvoir qui se dérobait devant lui ? Et puis franchement, il serait temps d'en finir avec une certaine légende. Il vivait à une époque où on n'avait pas tout le temps les juges et les journalistes sur le dos. C'était plus facile. Quand on en fait un modèle de vertu, j'ai quand même quelques doutes. Il paraît qu'il réglait lui-même ses factures d'électricité, à l'Élysée. Bon, d'accord. Mais quand son coiffeur venait lui couper les cheveux, c'était pas lui qui payait. C'était son aide de camp. »

Il y a chez Sarkozy un trait de caractère qu'il ne faut jamais négliger et dont il essaie, non sans mal, de se protéger : même s'il n'a évidemment pas lu le grand philosophe Jacques Derrida, il adore déconstruire, surtout quand ça scandalise. C'est ce qui limite la portée de sa diatribe contre le Général. Mais parmi tous les personnages de ce calibre que j'ai pu rencontrer dans ma vie professionnelle, c'est le premier, à ma connaissance, qui n'ait pas au-dessus de lui une figure tutélaire ou un ascendant historique.

C'est le syndrome de celui qui s'est fait tout seul et un peu contre tous. Un mélange de fougue et d'arrogance. Jean-Pierre Elkabbach est le premier journaliste à lui avoir donné un micro pour une émission de grande écoute. C'était en 1986, sur Europe 1. « Il est arrivé avec des tas de fiches manuscrites de couleurs différentes, se souvient Elkabbach. Et dès que j'ai ouvert la bouche, il m'est rentré dedans. Après, j'ai appris qu'il s'était enfermé une journée entière pour préparer l'entretien. »

Dès lors, Jean-Pierre Elkabbach et Nicolas Sarkozy prennent l'habitude de déjeuner de temps en temps ensemble. Un jour, le maire de Neuilly annonce au journaliste : « Ça y est, je sais ce que je veux faire. Moi, le Hongrois, je serai ministre de la République. »

Sept ans plus tard, Nicolas Sarkozy lui apprend que ses vœux sont enfin exaucés : Édouard Balladur, le Premier ministre désigné, le nommera au Budget.

« Mais qu'est-ce que t'y connais, au Budget ? demande Elkabbach.

— Rien, je m'en fous. J'apprendrai. Je travaillerai, j'ai l'habitude. À Bercy, on marche sur les inspecteurs des Finances, y a même que ça. Je prendrai le meilleur et il fera mon cabinet. Mais ce n'est pas ce qui est important. Ce qui l'est, c'est que maintenant, là où je suis, je les tiens tous… »

Désormais, quand Jean-Pierre Elkabbach retrouvera à déjeuner le ministre-qui-les-tient-tous, l'homme des contrôles ou des arrangements fiscaux, Sarkozy lui dira : « Quand je serai président... »

Nicolas Sarkozy répète volontiers que son problème, c'est lui-même. Mais on voit mal comment il aurait pu aller si vite et si haut sans cette hargne incroyable qui le mène. Ces colères. Ces menaces. Ce mélange d'impudeur et d'impudence. Il ne compte jamais que sur ses propres forces. Celles de l'intimidation, notamment.

Ce sont ces traits de caractère qui, avec son narcissisme, ont creusé le fossé avec les Français. Il dissimule ses accès d'affectivité, autrement dit ses faiblesses, avec beaucoup moins de soin que Mitterrand ou Chirac qui, de leur humanité, avaient su faire un atout. Même s'il ne songe qu'à ça, il ne sait pas se faire aimer.

On ne peut aimer les gens qui s'aiment, et Sarkozy donne le sentiment de s'aimer trop. Comme si, après son sacre, l'aubain s'était enfin réconcilié avec lui-même. Comme s'il était fier d'être devenu, par un tour de passe-passe, l'incarnation vivante de la France.

Ironie de l'Histoire : ce fils de Hongrois reste cependant à l'image du pays, jusque dans ses racines les plus profondes. Il en est même le meilleur résumé, contrairement aux idées, fausses, qu'on se fait de lui. Dans *Histoire de France*, son chef-d'œuvre, Jacques Bainville, qui fut pourtant pendant trente ans un collaborateur régulier de *L'Action française*, organe de l'ultra-droite maurrassienne, définit le peuple français comme un « composé ». « Le mélange, explique-t-il, s'est formé peu à peu, ne laissant qu'une heureuse diversité. »

Il ne faut jamais oublier que la France fut fondée par Clovis et que Clovis était un Barbare.

43

Vent d'Est

« Il y a plus de Français qui sont des
étrangers que d'étrangers qui sont des
Français. »

Archibald DAVENPORT

Grand serviteur de l'État puis glorieux capitaine d'industrie, Jérôme Monod est l'un des
esprits les plus fins de la Ve République qu'il a
traversée avec un œil pétillant d'ironie. On lui
attribue ce mot sur Nicolas Sarkozy : « C'est un
immigré de l'Est en partance pour les États-Unis,
qui s'est arrêté par hasard à Paris. »

Son tropisme américain fut longtemps tel que,
pour un peu, Sarkozy aurait donné le sentiment
d'être seulement de passage en France. Il a dans
la tête des rêves pleins d'espèces sonnantes et tré-
buchantes qu'il semble prêt à accomplir partout
sur la planète. Aux États-Unis surtout. En somme,
il est de son temps, celui de la mondialisation,
mais une mondialisation plus américaine qu'asia-
tique.

Contrairement à ses prédécesseurs, il sait qu'il
n'est pas un pur produit de la culture française.
La plupart des gens, dit-on, sont moyennement
intelligents et moyennement incultes. Sarkozy est
un cas : il est à la fois très intelligent et d'une
inculture encyclopédique, jusqu'à ce que Carla

Bruni entre un jour dans sa vie et commence à combler les trous.

Un soir, avant la campagne présidentielle de 2007, Nicolas Sarkozy appelle son vieil ami Alain Minc :

« Tu ne vas pas être content. J'ai embauché Henri Guaino. »

Guaino-le-souverainiste, qui rêve de frontières toujours plus hautes et plus fortes ? Minc a un haut-le-cœur :

« Évidemment, je ne suis pas content. Pourquoi fais-tu ça ?

— Qu'est-ce que tu veux, je suis un immigré.

— Moi aussi. »

Alors, Sarkozy :

« Mais toi, t'as des diplômes. Moi, j'ai besoin de quelqu'un qui m'apporte Jules Michelet et Victor Hugo. »

Aussi loin qu'il s'en souvienne, Nicolas Sarkozy, le « petit Français de sang mêlé », s'est toujours senti immigré. Un immigré « sans famille ». Jusqu'à ce qu'il s'en trouve une, de substitution, avec Isabelle et Patrick Balkany.

Là est le vrai secret de sa relation avec les Balkany. On n'a rien compris si on n'y voit qu'un acoquinage politicien ou une association de malfaiteurs de la banlieue ouest de Paris, du côté de Neuilly et Levallois. Avec eux, Sarkozy s'est simplement choisi une famille, une vraie, sur laquelle il peut toujours compter, surtout quand tout va mal.

Nicolas Sarkozy a rencontré Patrick Balkany en janvier 1977, lors d'une réunion de la section RPR de Neuilly-Puteaux. À la sortie, il s'est dirigé vers lui :

« Tu t'appelles Balkany... T'es hongrois ?

— Mon père est hongrois.

— Le mien aussi. »

Sur quoi, ils sont allés au café d'à côté et ne se sont plus jamais quittés. Archétype du juif ashkénaze, Patrick Balkany est un colosse protecteur, extraverti et généreux : c'est le grand frère hongrois. Archétype de la juive séfarade, sa femme Isabelle est un personnage vif, drôle et possessif : c'est la mama. Tous les deux s'avancent toujours précédés d'un grand rire. Ils ont tout de suite adopté Nicolas Sarkozy et lui ont apporté la chaleur familiale dont il semble avoir tant manqué pendant son enfance. Ils ont passé ensemble des vacances entières et beaucoup de dîners du dimanche soir. Les apparences sont trompeuses : chez ces gens-là, l'amitié est vraiment désintéressée. C'est pourquoi ils font définitivement partie de la fratrie. Au point que lors de la cérémonie d'intronisation, ils étaient placés avec la famille.

« On lui a fait un cocon », dit Patrick Balkany. « J'aimais déjà les restaurants et je ne pouvais pas me les payer, confie, en écho, Nicolas Sarkozy. Ils ont fait table ouverte pour moi. »

On a tout dit sur les Balkany. Qu'ils étaient sulfureux, vulgaires et ostentatoires. S'il fallait trouver une incarnation du « bling-bling », les deux feraient très bien l'affaire. Ils aiment les grandes marques et les hôtels de luxe. Mais il y a un autre aspect de leur personnalité qui a cimenté leur amitié avec Sarkozy. Ils ne sont pas d'ici. « Quand on était mômes, disent-ils, on était tous des immigrés. »

Nicolas Sarkozy restera toujours un fils d'immigré. Un hors venu, comme les Balkany. On peut tourner la chose dans tous les sens, c'est une des principales caractéristiques de sa personnalité, qui a fait dire à l'historien Max Gallo : « J'ai voté pour lui parce qu'il était immigré. »

Ce président de nulle part n'a même pas cher-ché à se réinventer des racines dans une région de France. Il s'assume. C'est ce qui rend si sus-pect, parfois, le discours des sarkophobes. Inutile de chercher beaucoup pour trouver, chez certains d'entre eux, des relents de xénophobie, voire d'antisémitisme. Même s'ils sont toujours subtils, ils expriment bien ce qu'il y a de plus rance dans l'idéologie nationale.

C'est pourquoi on a du mal à comprendre com-ment un homme comme lui, avec son histoire et ses ascendants, a pu ouvrir la chasse aux Roms en plein été 2010...

44

« Voyou de la République »

« Les politiciens sont les mêmes partout.
Ils promettent de construire un pont même
s'il n'y a pas de fleuve. »

Nikita Khrouchtchev

Faut-il lui trouver des excuses ? Depuis la
défaite historique des régionales, le président est
désemparé. Il se demande s'il n'a pas perdu la
main. C'est sans doute pourquoi elle n'est plus si
sûre. Il hésite, consulte et tâtonne.

Dans la nuit qui a suivi le deuxième tour des
régionales, il n'a pas beaucoup dormi. Il lui a fallu
se justifier pendant des heures devant Carla à qui
il avait fièrement prédit, les jours précédents, la
victoire de la droite dans au moins cinq régions.

Elle aussi doute de lui : « Que s'est-il passé,
chouchou ? »

Après l'humiliante défaite électorale est venu le
temps de la détestable affaire Bettencourt qui a
mis à nu les relations, plus ou moins coupables,
entre le président et le monde de l'argent. Nicolas
Sarkozy est descendu si bas dans les sondages
qu'on se dit qu'il finira par trouver du pétrole
incessamment sous peu.

Pierre Mendès France affirmait que le propre
des politiciens est de refaire à l'infini ce qui leur
a réussi une fois. Pourquoi pas, alors, un virage
sécuritaire ? C'est ce que lui glissent à l'oreille

quelques-uns de ses conseillers dont l'impayable, dans les deux sens du mot, Patrick Buisson. Ancien rédacteur en chef de *Minute*, patron de la chaîne Histoire et gourou par intermittence de Nicolas Sarkozy, il a l'art de se faire rémunérer ses services au prix fort. Un personnage de l'autre monde qui nourrit une vieille fascination pour les nazis et l'Occupation, au point de porter souvent des vestes de cuir noir qui semblent sortir des années 1940. Il ne lui manque que la cravache et les bottes. Il vit au demeurant dans cette période en troussant à la chaîne des livres nostalgiques, par ailleurs excellents, sur l'Occupation allemande. Pour ça, il aurait au moins mérité la Francisque qu'il arborerait fièrement.

Pour résoudre les problèmes de la France, Patrick Buisson a toujours la même solution : il faut virer à droite toute. Il ne reste plus à Sarkozy qu'à trouver l'occasion. Elle survient le 17 juillet 2010, quand une cinquantaine de « gens du voyage », de nationalité française et sédentarisés depuis des lustres, attaquent la gendarmerie de Saint-Aignan, une bourgade paisible du Loir-et-Cher, après que l'un des leurs a été tué par un gendarme. L'affaire fait grand bruit dans les médias. Ce n'est pourtant pas la fin du monde.

C'est à Brice Hortefeux qu'échoit le dossier. Le ministre de l'Intérieur est un homme d'une grande subtilité. Vu de loin, il semble le fruit des amours d'un Albinos et d'une Martienne. Vu de près, non. Il y a quelque chose de très terrien en lui, jusque dans la démarche lourde et pesante, celle d'un gourmet engoncé qui aurait pu être inspecteur du guide Michelin de la région Auvergne. Avec ses petits yeux plissés, on dirait qu'il vient juste de se réveiller ou bien qu'il s'ennuie mortellement, mais c'est un genre qu'il se donne. Malgré les apparences, il est toujours en alerte, comme le chat qui dort.

Place Beauvau, il se comporte volontiers en voiture téléguidée du président. Obéissant au doigt et à l'œil mais sans aucune servilité, il aime dire qu'il fera tout ce que Nicolas Sarkozy lui demande. Quand ça l'arrange, cependant. Par exemple, pas jusqu'à devenir secrétaire général de l'Élysée, dans l'ombre de son vieil ami. Quand cette idée a traversé l'esprit de Sarkozy, à l'automne 2010, le ministre de l'Intérieur s'y est en effet opposé. Jusqu'à ce que le chef de l'État tente de lui forcer la main trois mois plus tard, en le limogeant pour le rapatrier dans son cercle intime et en faire tôt ou tard un conseiller spécial à la présidence.

Il est vrai qu'il a un profil d'homme de l'ombre. Il n'est pas plus fait pour jouer les matamores que le président, les taiseux. Il n'est jamais au premier degré. D'une loyauté absolue envers Sarkozy, dont il fut le directeur de cabinet à la mairie de Neuilly de 1983 à 1986, il a trop de recul et d'ironie, avec un goût irrépressible pour les blagues vaseuses, comme celle-ci, proférée lors de l'université d'été de l'UMP en 2009, à propos d'un militant UMP d'origine maghrébine : « Quand il y en a un, ça va. C'est quand il y en a beaucoup qu'il y a des problèmes. » Il mourrait pour un bon mot, fût-il raciste.

Même si le ministre n'est pas raciste, il a été condamné pour ses propos qui l'étaient, du moins au premier degré. Ce qui ne l'empêche pas, entre deux mâles déclarations soufflées à l'oreille par Sarkozy, de tout prendre à la farce. Peu suspect de complaisance envers les « gens du voyage », Brice Hortefeux m'a ainsi raconté, sur le mode comique, ce qu'il a vu quand il s'est rendu sur les

236

lieux : « Sur le bâtiment de la gendarmerie, trois lettres de l'enseigne avaient été arrachées. Par terre, il y avait un arbre scié et non pas trois, comme je l'ai lu par la suite. De même, contrairement à ce qu'on a dit, quelques vitrines seulement de magasins avaient été cassées. Celle de la boulangerie notamment. J'y suis allé. "Et en plus, ai-je dit à la boulangère, ils ont pris tous vos gâteaux."

"Oui, tous, m'a-t-elle répondu. Ils m'ont proposé de les payer mais je n'ai pas voulu." »

Une histoire de Gitans qui s'est finalement retournée contre les Roms qui, eux, n'y étaient pour rien : le 28 juillet, Nicolas Sarkozy convoquait en grande pompe une sorte de sommet pour faire le point sur la « situation des Roms et des gens du voyage », avant qu'une circulaire du ministère de l'Intérieur, datée du 5 août, n'invite les préfets à engager « une démarche systématique de démantèlement des camps illicites, en priorité ceux des Roms ».

C'est une première : une réunion à l'Élysée puis une circulaire pour pointer du doigt une catégorie de la population, de surcroît faible et impopulaire, sans porte-parole ni relais dans l'opinion. On se frotte les yeux, mais c'est bien de cela qu'il s'agit : la stigmatisation, comme dans les années 1940, d'une communauté par les plus hautes autorités de l'État.

Que le chef de l'État décide de démembrer les 539 campements illégaux de Roms qui ont fait l'objet d'une décision de justice, soit. Mais fallait-il qu'il cherche à se refaire une popularité sur leur dos, en ouvrant la chasse officielle aux voleurs de poules tant honnis de nos provinces ? Était-il nécessaire de médiatiser son opprobre et d'en faire une affaire nationale ?

Il y a là un pas que la décence ou la morale aurait dû lui interdire de franchir. Mais Sarkozy, on l'a vu, n'a ni règle ni tabou.

Le 30 juillet 2010, dans son discours de Grenoble, pour la prise de fonctions du nouveau préfet, nommé après les violences qui ont frappé un quartier de la ville, Sarkozy n'hésite pas, sur sa lancée, à évoquer une nouvelle catégorie de « citoyens d'origine étrangère ». « La nationalité française, dit-il, doit pouvoir être retirée à toute personne d'origine étrangère qui aurait porté atteinte à la vie d'un fonctionnaire de police ou d'un militaire de la gendarmerie ou de toute autre personne dépositaire de l'autorité publique. La nationalité française se mérite et il faut pouvoir s'en montrer digne. »

Qu'importe si cette mesure est juridiquement impossible à mettre en œuvre : pour ce faire, il faudrait dissoudre le Conseil constitutionnel et le Conseil d'État. Qu'importe puisqu'il ne s'agit là que d'électoralisme de basses eaux, pour récupérer quelques points sur le Front national.

Même chose lorsqu'il souhaite, dans ce discours de Grenoble, que « la responsabilité des parents soit mise en cause lorsque des mineurs commettent des infractions ». « Les parents manifestement négligents, ajoute-t-il, pourront voir leur responsabilité engagée sur le plan pénal. »

Pour faire bon poids, il rapproche la délinquance à « cinquante ans d'immigration insuffisamment régulée », avant de décréter « une guerre nationale » contre les « voyous ».

Le discours de Grenoble n'a pas été apprécié par François Fillon.

« Pourquoi ne me l'as-tu pas montré ? demande-t-il au président.

« — Si, je te l'ai montré.

— Non, tu ne me l'as pas montré. »

« On n'avait pas vu ça depuis Vichy, on n'avait pas vu ça depuis les nazis », s'inquiète Michel Rocard[1] qui, jusqu'à présent, n'avait jamais donné dans l'anti-sarkozysme primaire.

Il est vrai que tout le monde est tombé sur le président. Le pape Benoît XVI, la Commission de Bruxelles et l'ensemble de la presse internationale.

En Italie, le quotidien *La Repubblica* s'interroge : « Pourquoi faut-il que ce soit un président français qui invente une menace "intérieure" représentée par le peuple rom et qui remette en question la plus grande conquête de l'histoire de l'Europe, à savoir la libre circulation des individus de tous les États membres ? »

Et d'ajouter avec cruauté : « Et pourquoi faut-il que ce président soit d'origine hongroise alors que, en Hongrie, justement, il règne aujourd'hui un climat de xénophobie vis-à-vis de cette même minorité qui a été longtemps persécutée par les Hongrois ? »

La bien-pensance a sans doute tort de prendre au sérieux le tournant de Sarkozy, avec sa croisade anti-Roms. C'est lui faire trop d'honneur. Elle considère ses haussements de menton comme une stratégie, ses moulinets comme une politique. Mais cet homme fait de l'électoralisme comme d'autres de la musculation ; il en fait jusqu'à perdre le souffle et la mémoire. Ce n'est, en vérité, qu'un idéologue de carnaval.

Dans un article qui a fait du bruit : « Le voyou de la République », Jean-François Kahn a bien

---

1. *Marianne*, 7 août 2010.

tiré, pour *Marianne*[1], la leçon de cet épisode : « Il est probable que, tout cela, Nicolas Sarkozy, fasciné par le modèle américain, lui-même issu de l'immigration, ne le pense pas (…). N'empêche, il le dit. Et tout ce qui lui permettra, pense-t-il, d'être réélu en 2012, absolument tout, il le fera et le dira, sans restriction aucune (…). Ni gaucho ni facho : voyou ! »

Sarkozy n'est pas du genre à reconnaître ses erreurs. Pas plus celles de l'été meurtrier de 2010 que toutes les autres. Le 2 septembre, à l'Élysée, lors du petit-déjeuner de rentrée des partis de la majorité, il prend Jean-Pierre Raffarin, bille en tête :

« Je t'ai bien entendu, Jean-Pierre, sur ma dérive droitière. C'est un débat que nous avons déjà eu, il y a longtemps. Je respecte tes positions qui sont celles d'un humaniste libéral. Mais depuis que nous en avons parlé, la première fois, il s'est passé quelque chose qui ne t'a sûrement pas échappé : une élection présidentielle. J'ai fait un choix. Seul. Et j'ai gagné, le peuple a tranché. »

Alors, Raffarin, ironique :

« Tu as raison. Le peuple a tranché en 2007. Mais il lui reste à trancher à nouveau en 2012… »

---

1. *Ibid.*

45

Gros mot

« C'est déjà bien ennuyeux de ne pas avoir
d'argent ; s'il fallait encore se priver. »

Paul MORAND

C'est à Jean-Pierre Raffarin encore que revient
de tirer la morale de l'incroyable feuilleton à
rebondissements que les Français ont vécu pendant plusieurs mois : « Si Nicolas Sarkozy a
repoussé le remaniement après la réforme des
retraites, c'était pour user François Fillon. Or, il
a usé tout le monde, sauf Fillon. »

En décidant de reconduire Fillon, Sarkozy a
clairement choisi la « rigueur ». Certes, il a commencé à la pratiquer dès son arrivée au pouvoir,
mais comme à contrecœur, avec de brusques
poussées laxistes, dans la continuité de ses promesses électorales. En matière de contrôle des
dépenses, c'est un converti de la onzième heure
qui déteste le mot.

Ce n'est pas le cas de Fillon, au contraire. Le
16 juillet 2010, alors que son compte semble bon,
si l'on en croit les augures, le Premier ministre
brise le tabou, au Japon, en prononçant le mot
affreux : « De tous les budgets de l'État, le seul
qui ne soit pas soumis à la rigueur, c'est celui de
l'enseignement supérieur et de la recherche. »

Le 19 juillet, à Nouméa, il persiste et signe avec
une certaine insolence. Ce mot, dit-il, « je ne le

regrette pas, je ne le retire pas et je le répéterai chaque fois que j'en aurai l'occasion ».

Le 27 juillet, à Paris, il enfonce le clou avec un sourire : « Oui, c'est une politique de rigueur. »

Autant de déclarations en contradiction totale avec celles du président qui, le 12 juillet 2010 encore, dans une intervention télévisée, s'était refusé à employer le mot rigueur pour définir sa politique de réduction des déficits : « La rigueur, ça veut dire baisser les salaires, je ne le ferai pas, augmenter les impôts, je ne le ferai pas. »

Pour lui, la rigueur, c'est d'abord un gros mot qui lui arrache la bouche et qui lui donne des frissons.

Querelle sémantique ? Pas seulement. Entre les deux têtes de l'exécutif, c'est l'éternel débat entre le volontarisme et le réalisme qui se poursuit. Encore que Sarkozy soit bien conscient qu'après les crises grecque et irlandaise, alors que les orages financiers s'amoncellent autour de nous, il faut, pour empêcher la tourmente, donner plusieurs tours de vis supplémentaires. Faute de quoi, la note de la France risquerait fort de baisser, une dégradation qui conduirait forcément à la politique d'austérité qu'il s'est toujours refusé à mener.

Quatre mois plus tard, après que Sarkozy a décidé de le maintenir à Matignon, Fillon se défoule dans son discours de politique générale devant l'Assemblée nationale. Le 24 novembre, l'ex-émule de Séguin enfile les formules à la Barre, du genre : « Avec une dette de 1 600 milliards d'euros, la France ne dispose pas d'un trésor caché pour se dispenser des efforts. » Ou encore : « Quand on sert l'intérêt général, on ne s'excuse pas de son courage. »

Après ces fortes paroles, les mesures tombent dru dans les jours qui suivent. La rigueur frappe tous azimuts, jusqu'aux voitures de fonction des agents de l'État dont le parc automobile sera réduit d'au moins dix mille d'ici à 2013. On est en droit de se demander pourquoi la France a attendu si longtemps pour commencer à prendre le tournant que l'Allemagne de Schröder puis de Merkel a négocié plusieurs années auparavant.

On ne dira jamais assez que la France affiche le taux de dépenses publiques le plus élevé du monde (56 % du PIB) juste après le Danemark (58 %). Il est vrai que chez nous comme chez les Danois, les dépenses sociales sont assurées par l'État, ce qui fausse en partie les comparaisons. Mais bon, nous vivons tous au-dessus de nos moyens. Sinon, notre pays n'aurait pas emprunté 600 milliards au cours des cinq dernières années.

Les prévisionnistes sont formels : s'élevant aujourd'hui à 23 000 euros par Français, la dette du pays atteindra 86,2 % du PIB en 2011 pour se rapprocher dangereusement des 87,1 % en 2012[1], seuil fatidique qui, selon les économistes, constitue un frein à la croissance.

Donc, il faut tailler dans les dépenses, et Fillon taille. Avec l'assentiment de Sarkozy, bien sûr. Après tout, c'est bien le président qui a décidé, au début de son mandat, qu'un fonctionnaire sur deux ne serait pas remplacé quand il partirait à la retraite et que, pour faire passer la pilule, la moitié des économies ainsi réalisées serait restituée au secteur public, sous forme d'augmentations conjoncturelles. Avec cette mesure et pas mal d'autres du même genre, le président a

---

1. *Le Monde*, 31 mars 2010.

clairement rompu avec trente ans de laisser-aller économique.

Mais le président est prudent, à l'affût du feu qui couve. Il pourrait reprendre à son compte la définition de Raymond Barre : « La France est un pays volage, émeutier et sondagier. » Il préfère dire : « C'est un pays monarchique et régicide. » Formule qui revient souvent dans sa bouche, notamment pendant les crises sociales.

Avant de lancer la réforme des retraites, Sarkozy et Fillon ont débattu, pendant plusieurs semaines, sur l'âge légal qu'il fallait retenir : soixante-deux ou soixante-trois ans ? Le Premier ministre était partisan d'aller le plus loin possible : « Tapons plus fort pendant qu'on y est. »

Le président hésitait : « C'est sûr que je préférerais qu'on arrive tout de suite à soixante-trois ans, mais je ne crois pas que la France soit mûre. Elle vit dans ses rêves, elle risque de tout envoyer dinguer. Déjà, soixante-deux ans, tu verras, ça va être dur, tellement dur. »

On ne peut pas dire que la suite des événements lui ait donné tort...

46

Des fourmis dans les jambes

« Tout le monde savait que c'était impossible. Il est venu un imbécile qui ne le
savait pas et qui l'a fait. »

Marcel PAGNOL

Nicolas Sarkozy n'est pas du genre à penser,
comme Jacques Chirac, que la postérité est, pour
reprendre une formule de Céline, « un discours
aux asticots ». Mais il ne se préoccupe pas de son
avenir dans l'Histoire. En tout cas, pas encore.

Que restera-t-il de Sarkozy quand les vers nous
aurons tous mangés ? Sans doute pas grand-chose,
à l'aune du siècle. L'image d'un homme qui court
après un train qu'il va rater. « Cette énergie sur-
voltée, cette démesure, ce "trop" », comme l'a écrit
Claude Imbert[1]. Quelques réformes aussi.

Si Sarkozy n'a pas roulé sa meule sur le pays,
c'est parce qu'il a raté la période des cent jours. La
période où tout se joue, après l'élection. Dans un
livre fondamental mais introuvable, *La Tyrannie
du statu quo*, qu'il a coécrit avec sa femme Rose,
Milton Friedman, prix Nobel d'économie 1976,
observe, preuves à l'appui, qu'un pouvoir ne peut
réformer un pays que dans les trois mois qui suivent
son arrivée aux affaires.

---

1. *Le Point*, 4 février 2010.

C'est ce qu'ont fait au demeurant quatre grands personnages du XXe siècle dont les Friedman examinent les premiers pas : Franklin D. Roosevelt, Ronald Reagan, Margaret Thatcher et François Mitterrand. Ces quatre-là sont tous arrivés au pouvoir avec des projets de loi déjà rédigés qu'ils ont fait adopter tambour battant par le législatif avant que les forces du statu quo ne reprennent le dessus.

Trop occupé à régler ses problèmes conjugaux ou à jouir de son nouveau pouvoir, Sarkozy s'est contenté de faire voter en urgence les lois qui devaient satisfaire sa clientèle, comme l'instauration d'un bouclier fiscal réduisant à 50 % le taux de confiscation par l'État de tous les revenus. Ou encore, pour satisfaire ses électeurs sécuritaires, la loi qui fixe des peines minimales en cas de récidive.

Force est de constater que Sarkozy n'a lancé, pendant ses cent jours, aucune réforme structurelle, hormis l'autonomie des universités qui institue les bases d'une nouvelle gouvernance en renforçant, entre autres, le pouvoir du président. Une grande idée énoncée par la gauche moderne lors d'un colloque à Caen avec Pierre Mendès France, cinquante ans plus tôt...

Pour le reste, le président en a beaucoup rabattu. Tel est Sarkozy : c'est un aigle qui s'envole, les ailes déployées, l'air dominateur, avant de se métamorphoser, quelque temps plus tard, en serin qui redescend sur terre. Cet homme est têtu, mais jusque dans la pusillanimité. Il tonne d'abord et n'oublie jamais de s'incliner ensuite.

C'est pourquoi la caricature d'un Sarkozy tête brûlée et fauteur de conflits n'abuse plus vraiment personne. Au contraire, quand il réforme, il se borde et se borne tout le temps.

« Il a l'inquiétude de la rue », observe François Fillon qui est sur la même longueur d'onde. Et il est vrai que le chef de l'État la surveille tout le temps. Il n'entend pas se laisser surprendre puis déborder par un mouvement intempestif, comme ce fut le cas pour Balladur avec son SMIC-jeunes, dit CIP (contrat d'insertion professionnelle) en 1994, Juppé avec sa réforme des régimes spéciaux en 1995, ou Villepin avec son CPE (contrat première embauche) en 2006. Autant de projets mort-nés, tués par des manifestations monstres.

Trois exemples de la flexibilité sarkozyenne. D'abord, la loi sur le service minimum dans les transports est une loi… minimum. En imposant aux grévistes de se déclarer quarante-huit heures à l'avance, elle a laissé aux services publics une marge de manœuvre pour se réorganiser en cas de mouvement social. Mais elle ne leur a pas donné le droit de réquisitionner du personnel comme dans les hôpitaux.

Ensuite, la réforme des régimes spéciaux réussie par Sarkozy après le fiasco de Juppé a permis d'aligner sur le secteur privé la durée de cotisations des salariés des grandes entreprises publiques (SNCF, RATP, EDF, etc.). Une question d'équité. À ceci près : pour obtenir l'assentiment de la CGT, le président a accepté que les primes de ces salariés soient intégrées dans le calcul de leur pension. Une grosse concession, mais c'était le prix du consensus qu'il recherchait.

Enfin, au lieu d'en finir purement et simplement avec les 35 heures, le président, conscient de leur popularité, a préféré mettre sur pied un système d'une complexité inouïe qui aurait fait la joie de Georges Courteline, grand contempteur de la bureaucratie à la française. Encore qu'il en eût sans doute approuvé la philosophie, lui qui a écrit : « On ne saurait mieux comparer l'absurdité des demi-mesures qu'à celle des mesures absolues. » Moyennant quoi, dans cette usine à gaz, ni le salarié ni l'employeur ne paient d'impôts ou de charges sociales sur les heures supplémentaires. Des heures qui, de toute façon, n'étaient pas déclarées auparavant : le fisc fermait les yeux. Plus ça change, plus les choses restent en l'état…

En somme, Sarkozy est tout sauf irréaliste. Il marche sur des œufs dès qu'il entre sur le terrain social. Là, ce n'est plus un fier-à-bras, du genre à dire comme de Gaulle après que l'un de ses conseillers, Roger Goetze, l'eut mis en garde, en 1958, contre les menaces que faisait peser sur sa popularité le plan de redressement économique : « Les Français vont crier… eh bien, monsieur Goetze, et après[1] ? »

Sous Sarkozy aussi, les Français crient. Mais ils ont attendu la réforme des retraites, en 2010, pour descendre vraiment dans la rue.

On aurait cependant tort de penser que cette apathie sociale aura été la conséquence d'une atonie réformatrice. Sarkozy n'aura pas été un président immobile, confit dans son formol, comme certains de ses prédécesseurs. Il a même réformé à tout-va. Mais il l'a fait avec un esprit de conciliation proportionnel aux forces en face de lui.

Cet homme ne croit qu'au rapport de forces. Quand il lui est favorable comme ce fut le cas avec sa majorité, il en abuse et joue des coudes. Sinon, il se fait petit et tente de passer en douce.

---

1. Anecdote rapportée par Pierre-Antoine Delhommais dans *Le Monde* des 14-15 novembre 2010.

Fort avec les faibles et faible avec les forts, c'est ainsi qu'il s'impose, comme tout bon politique. C'est ainsi aussi qu'il réforme le pays, non sans ruse.

Il n'aura donc pas laissé la France dans l'état où il l'a trouvée. Il a renforcé les droits du Parlement qui, désormais, maîtrise mieux son travail législatif et ses activités de contrôle. Il a simplifié la vie des PME avec le statut de l'auto-entrepreneur et la protection du patrimoine personnel des petits patrons en cas de faillite. Il a redessiné la carte judiciaire en entérinant la suppression de 178 tribunaux d'instance qui n'avaient plus guère d'utilité publique. Il a lancé le RSA (revenu de solidarité active) pour sortir les plus démunis de l'assistanat à vie. Il a entrepris de délester la machine publique globalement pléthorique en décidant de ne pas remplacer un fonctionnaire sur deux partant à la retraite. Ce qui, en 2011, amènera à supprimer 31 638 postes sur 2,4 millions. Moyen, on l'a dit, de réduire les dépenses publiques tout en dégageant des fonds pour payer mieux les agents de l'État.

S'il fallait continuer à énumérer les réformes de Sarkozy, il faudrait ajouter un ou deux tomes à ce livre. On arrêtera là cet exercice fastidieux.

Ce n'est donc pas rien, le sarkozysme. Mais ce n'est pas non plus assez : après avoir discouru sur la « politique de civilisation », belle formule d'Edgar Morin, il n'a pas entamé la moindre esquisse d'ébauche de vraie réforme structurelle. À l'Éducation nationale, par exemple, où il serait temps de remettre en ordre de marche un système qui n'est pas l'un des moins chers d'Europe et dont les résultats sont parmi les plus mauvais : avec une augmentation de 33 % en vingt ans du nombre d'enfants en difficulté, elle est devenue une machine à fabriquer et amplifier les inégalités. Pour preuve, il y a vingt ans, un enfant d'ouvrier avait neuf fois moins de chances qu'un enfant d'enseignant d'arriver au bac. Aujourd'hui, c'est quatorze fois moins.

Comment expliquer ce phénomène ? Il y a toutes sortes de raisons, dont la moindre n'est pas que les enseignants, s'ils sont assez nombreux en France, contrairement à la légende, y sont scandaleusement sous-payés. Il est urgent, non pas d'embaucher, mais de les rémunérer mieux pour bien les motiver.

C'est un secret curieusement bien gardé, mais en début de carrière, d'après les indicateurs 2010 de l'OCDE, un enseignant français du primaire avait droit, en 2008, à un salaire annuel de 23 735 équivalents dollars alors qu'au États-Unis, le même gagnait 35 999 et en Allemagne, presque deux fois plus : 46 524. Les revenus de l'instituteur français étaient ainsi inférieurs à la moyenne de l'Union européenne (28 628 en 2008). Avec plus d'heures de travail. On retrouve les mêmes disparités dans les deux cycles du secondaire, jusqu'aux échelons maximaux. Honte à nous et à notre bureaucratie. Certes, il y a les heures complémentaires ou les cours particuliers qui permettent de compenser en partie ces déséquilibres, il reste que la France traite mal ses enseignants. Une société qui ne respecte pas ses professeurs est une société qui n'a pas le respect d'elle-même.

Un chantier fondamental, au cœur de tous les problèmes français, à commencer par l'intégration, mais qui semble porter malheur, avec des enseignants et des élèves à cran. C'est pourquoi les gouvernements successifs l'ont, depuis des décennies, laissé en l'état. Sarkozy n'a pas dérogé à la règle.

Dans un éditorial de *L'Express*[1], Christophe Barbier écrivait, à juste titre, que « "Travailler plus et partager mieux" est le seul slogan (...) qui puisse unir une France décidée à ne pas disparaître dans les oubliettes, déjà ouvertes sous nos pieds, de l'Histoire. » Même s'il va de soi, je compléterai quand même avec ce codicille : « Éduquer plus et mieux. »

Rien ne permet de dire si Sarkozy finira par s'attaquer un jour à ce dossier. Les présidents n'étant jamais réélus sur un bilan mais sur un projet, il sait bien qu'il doit trouver de nouveaux défis pour la prochaine campagne présidentielle. « Nous ne pouvons pas fermer les yeux sur les déficits et les retards qui sont les nôtres, répète-t-il. Notre devoir, c'est d'agir. D'agir dans l'intérêt général, d'agir avec justice, mais d'agir. »

Il trépigne d'impatience en songeant à tout ce qu'il va faire et à tout ce qu'il aurait pu faire. Il mourra avec des fourmis dans les jambes.

---

1. Le 5 janvier 2011.

47

L'enfant-roi

« Lorsque l'enfant paraît, je prends mon
chapeau et je m'en vais. »

Paul LÉAUTAUD

Nicolas Sarkozy avait la niaque et la *vista* qu'il
fallait pour refonder une nation en pleine déconfi-
ture. Il y avait en lui quelque chose de Mustafa
Kemal Atatürk. La même volonté de rupture, tendue comme un arc. Le même esprit méticuleux et
autoritaire, ce qui ne veut pas dire totalitaire.
Nuance. Il s'est juste trompé de pays : la France
n'est pas la Turquie des années 1920.

Elle ne comprend pas la fébrilité et le sentiment d'urgence de son impossible président. Elle
ne souffre ni son style ni ses foucades ni ses
caprices. Elle ne sait pas où il l'emmène. Il n'y
aura donc pas de révolution sarkozyste comme il
y eut la « révolution à toute vapeur » d'Atatürk
qui disait déjà, sur le mode prophétique : « Le
meilleur moyen de perdre son indépendance, c'est
de dépenser l'argent qu'on ne possède pas. »

Ce serait pourtant une erreur de penser que le
problème de Sarkozy, c'est la France. Certes,
notre cher et vieux pays est l'un des moins gouver-
nables du monde. Composé de 66 millions de sujets
avec largement autant de sujets de mécontente-
tement, il a une très haute idée de lui-même,

illustrée par la célèbre formule de Charles Péguy qui, un jour, a écrit sans rire : « C'est embêtant, dit Dieu. Quand il n'y aura plus ces Français, il y a des choses que je fais, il n'y aura plus personne pour les comprendre. »

Mais la France aurait pu se sentir incarnée par cet Artaban qui s'en est allé faire de l'épate et se donner du talon dans le cul, le menton avantageux, dans toutes les capitales du monde. Un Napoléon de poche, si la chose est concevable. Sa voix a tout de suite porté très loin. Il s'est imposé royalement sur la scène internationale. Il avait tout pour plaire au pays.

Que s'est-il passé, alors, pour que la grande majorité des Français l'ait rejeté après seulement quelques mois de pouvoir ? C'est à lui, d'abord, qu'il faut imputer ce désamour. À son amour-propre, ses rodomontades, sa recherche de la gloriole et ses manières de tyranneau malappris. Les Français n'aiment pas l'enfant-roi en lui. Le foutriquet qui veut la plus belle femme et le plus gros avion du monde pour épater la galerie. Le caïd qui prétend apprendre à sa mère et à son père comment faire des enfants. Un personnage qu'il avait tenté de dissimuler jusqu'à son accession à la présidence de la République et qu'il a laissé, depuis, se déployer.

« Il y a avant et après l'élection, observe Patrick Devedjian. Avant, il se contrôlait, il était à l'écoute, il essayait d'être en empathie avec les Français en allant, par exemple, aux courses de chevaux. Après, il n'a plus fait d'efforts, comme s'il s'était dit : "Je vais enfin être moi-même." »

Sa politique n'a rien arrangé. Notamment le « bouclier fiscal » permettant aux classes aisées de ne jamais payer plus de 50 % d'impôts sur ce qu'elles gagnent. Une décision qui, contrairement à ce que prédisait Sarkozy, n'a pas ramené en France tant d'exilés fiscaux de Genève, de Bruxelles ou de Londres. Même si l'État n'a rendu de la sorte que 600 millions aux riches, cette mesure a eu pour premier effet de transformer le président, dès l'aube de son mandat, en laquais de la bande du Fouquet's. D'autant que, sur ce sujet comme sur d'autres, cet as de la parole a perdu la bataille de la communication. À force d'exiger de tous les siens un silence absolu pour être le seul à parler, qui plus est sans s'arrêter, il a réussi à ne plus être entendu. Un comble.

Au début de son règne, quand un homme averti comme le centriste Pierre Méhaignerie contestait de sa voix feutrée les bienfaits politiques du « bouclier fiscal », il se faisait méchamment rabrouer. Nicolas Sarkozy n'avait que mépris pour les « âneries » et les « conneries » des adversaires de sa réforme. Il hurlait : « Jamais je ne reviendrai là-dessus ! Jamais ! » Il ne supporte pas d'entendre ce qu'il n'a pas envie d'écouter. Il faut toujours qu'il passe en force.

Souvent, il fait penser à un personnage de BD, comme l'Oncle Picsou ou Iznogoud, écumant et trépignant, les bras tordus de rage, avec de la fumée qui sort par les trous de nez. Il est vrai que l'enfant-roi est toujours de nature volcanique, plus ou moins. Il ne se maîtrise pas. Dans la légende sarkozyenne, les échanges épiques abondent. Avec tout le monde. Y compris avec le président du Conseil constitutionnel, Jean-Louis Debré, un chiraquien historique, très apprécié par la gauche qui lui fit une ovation quand il quitta la présidence de l'Assemblée nationale. Son antipathie pour Nicolas Sarkozy est telle que les connaisseurs de la chose politique sont convaincus qu'il n'a même pas voté pour lui lors de l'élection présidentielle.

Peu avant la décision du Conseil constitutionnel concernant la rétention de sûreté, le 21 février 2008, le chef de l'État appelle Debré. Il redoute que les Sages de la République n'annulent en partie – ce qu'ils ont finalement fait – les dispositions d'une loi stipulant que les personnes exécutant une peine égale ou supérieure à quinze ans pourront être placées en rétention de sûreté, si elles présentent « une particulière dangerosité » ou « une probabilité de récidive ». Une loi qui, contrairement à tous les principes du droit, est rétroactive :

« Si tu annules ce texte, dit Sarkozy à Debré, je te présenterai comme le complice des violeurs.

— Tu fais ce que tu veux. Je ne marche pas avec des menaces.

— Je te désignerai. Je te dénoncerai.

— Je m'en fous. Le Conseil constitutionnel prendra la décision qu'il doit prendre. On ne peut condamner quelqu'un à une peine que si elle existe au moment où il a commis son acte. Sinon, c'est l'arbitraire. »

Encore un déplorable exemple de gestion humaine. Lors de ses vœux aux corps constitués, le chef de l'État refuse de serrer la main de Jean-Louis Debré. Il demande une note à un professeur de droit pour qu'on lui explique comment il pourrait se débarrasser du président du Conseil constitutionnel désigné pour neuf ans en 2007. Devant ses collaborateurs, il fulmine régulièrement : « Debré est un salaud, je vais me le faire. »

Quelques mois plus tard, pourtant, Sarkozy se rend au Conseil constitutionnel et se livre à un vibrant éloge de son président. C'est sans doute parce qu'un homme comme Debré a mieux cerné que d'autres le fonctionnement psychologique de l'enfant-roi : « C'est quelqu'un de fantastiquement malin, qui comprend tout au quart de tour et qui est aussi opportuniste avec les idées qu'avec les gens. Si vous lui cédez tout de suite, vous êtes mort. Si vous résistez, il vous détestera mais bon, ça ne sert à rien d'être aimé par lui. Il vaut mieux être respecté. »

Ce sont les crisettes du président qui hystérisent tout. Les passions, les problèmes, les inimitiés. Toujours à cran, il pourrit tout le monde, un Français moyen qu'il a sous la main aussi bien qu'un ancien Premier ministre comme Jean-Pierre Raffarin qui a eu le tort de lancer, avec d'autres sénateurs, un appel contre la taxe professionnelle : « Mais pourquoi t'as fait ça ? Tu me fais du mal ! Tu me portes des coups ! »

Sans doute Carla a-t-elle tenté de lui apprendre le recul, la culture, la tranquillité qu'elle a probablement désappris aussi avec lui : le ressort qui l'anime n'est jamais en repos. Le président décide, il tranche, il assène, parce qu'il est convaincu, comme Michel Rocard, que la politique consiste d'abord à décider : « Entre une mauvaise décision et rien, il n'y a pas de discussion, il faut décider, aime dire Rocard. Quand on gouverne, il faut prendre des décisions pour avancer, ne pas se laisser enliser, et tant pis si, de temps en temps, ce sont de mauvaises décisions. » De même, Sarkozy parle, parle et parle, sans jamais s'arrêter.

La politesse, c'est donner du temps. La politique aussi. Dans les réunions publiques, il ne consent généralement qu'à serrer les mains du premier rang, celui des personnalités, et encore, à peine a-t-il débité son discours qu'il est déjà reparti. Il ne fait toujours que passer.

L'enfant-roi ne s'arrête jamais. En plus, celui-là est un surdoué qui a décidé qu'il serait le meilleur. Par exemple, le président qui a fait le plus de kilomètres à travers le monde. Celui qui a mis en œuvre le maximum de réformes. Celui qui, avec ses ministres ou collaborateurs, connaît toujours le mieux ses dossiers sur le plan de la technique comme de la faisabilité. Celui qui, frappé d'hypermnésie, se souvient parfaitement, dira Brice Hortefeux, « de la conversation que vous aviez eue avec lui, dans un restaurant, il y a dix-sept ou dix-huit ans ». Pour un peu, il se rappellera même du menu et de la couleur du ciel, ce jour-là.

S'il faisait le Tour de France, il lui faudrait gagner toutes les étapes.

48

Le grand « nominateur »

« Le roi a de longues mains. »
OVIDE

En ces temps de mondialisation, nommer est sans doute tout ce qui reste à l'homme d'État. Sinon, pourquoi tirerait-il tant d'orgueil à exercer un métier que l'Histoire a dévalué ? De quoi pourrait-il jouir encore ?

Comme tous ses prédécesseurs, Nicolas Sarkozy adore nommer. Sentir le pouvoir de sa signature sur le destin des autres. Éprouver le bonheur indicible d'avoir un droit de vie ou de mort sur la carrière de tant de monde.

La Bruyère, grand expert de la Cour, l'a bien dit : « Le plaisir le plus délicat est de faire celui des autres. » Sarkozy se le donne sans retenue, avec une irrépressible griserie, installant ses amis et ses anciens collaborateurs à peu près partout dans l'appareil d'État et jusque chez ses copains patrons.

Cet homme, c'est à la fois Pôle Emploi, une agence de recrutement et un chasseur de têtes. Rien de nouveau là-dedans. Le pouvoir de nomination est, avec le système de Cour, tout ce qui, sous la république, reste de la monarchie française. De ce point de vue, Sarkozy n'aura pas été pire qu'un autre. Comme Chirac ou Mitterrand,

258

il n'aura simplement pas tenu parole, lui qui déclarait le jour de son investiture, la main sur le cœur : « La démocratie irréprochable, ce n'est pas une démocratie où les nominations se décident en fonction des connivences et des amitiés, mais en fonction des compétences. »

Il a néanmoins eu souvent la main heureuse, car il faut reconnaître de réelles compétences à beaucoup des amis, copains ou complices auxquels il a confié des responsabilités. C'est vrai dans la police où il n'a jamais promu de manchots. C'est vrai aussi dans les affaires avec François Pérol, secrétaire général adjoint de l'Élysée, qu'il a installé à la tête du troisième réseau bancaire français, Caisse d'épargne - Banque populaire ; Frédéric Oudéa, un de ses anciens conseillers techniques, qu'il a poussé en coulisses à la présidence de la Société générale ; Stéphane Richard, un vieil ami, à qui il a donné les manettes de France Télécom.

Il a su aussi instituer des règles qui assainissent la République. Par exemple, en accordant à un membre de l'opposition la présidence d'une commission à l'Assemblée nationale. En l'espèce, celle de la commission des Finances. Il est même allé jusqu'à nommer un socialiste, Didier Migaud, reconnu pour sa compétence, à la présidence de la Cour des comptes, un poste stratégique.

Pour le reste, Sarkozy a souvent été moins bégueule et irréprochable, n'hésitant pas, par exemple, à catapulter au Conseil économique et social des petits notables des Hauts-de-Seine pour ouvrir la route à son fils Jean, ce qui relève du tripatouillage. Sans parler des amis de Carla qui ont toujours droit à une place, qui n'est pas nécessairement celle du pauvre. Il y a, dans le palmarès des nominations sarkozyennes, pas mal de fautes de goût ou d'aiguillage, mais bon, la plupart sont vénielles. Même si elle n'est pas vertueuse, loin de là, il y a peut-être moins à reprocher à sa République qu'aux précédentes.

On peut tourner la chose dans tous les sens, cet homme n'est pas vraiment clanique au sens mitterrandien ou chiraquien du mot. Il est trop dans le présent pour avoir le sens du réseau. C'est particulièrement vrai dans le domaine politique où valsent les grâces et les disgrâces, dans un tourbillon qui étourdit. Il ne donne rien aux siens, il prête.

Sarkozy est ainsi un disciple de Louis XIV qui écrivait dans ses *Mémoires pour l'instruction du Dauphin* : « Il était nécessaire de partager ma confiance et l'exécution de mes ordres, sans la donner tout entière à pas un, appliquant ces diverses personnes à diverses choses selon leurs divers talents, qui est peut-être le premier et le plus grand talent des princes. »

Cette incapacité à se reposer sur les autres l'a empêché, jusqu'à présent, de donner sa chance à une génération qu'il aurait pu, comme Chirac ou Mitterrand en leur temps, laisser après lui. Force est de constater qu'il n'y a que les produits du chiraquisme qui ne se sont pas périmés sous Sarkozy.

François Fillon. « Monsieur Propre » et « père-la-Rigueur » à la fois, il s'est sculpté une bonne tête de président avec de gros sourcils pompidoliens, pour rassurer. Il ne lui manque qu'un peu de ventre. Il a tellement de qualités qu'on ne voit pas ses vices, à peine ses défauts, comme ce mélange de réserve, de fatalisme et de timidité qui le met à distance des autres, notamment des Français.

Jean-François Copé. C'est un chat à sept vies, mais avec de grandes ailes, pour aller plus vite quand il chasse. Il a attrapé le prurit présidentiel quand il était tout petit. Depuis, il est sûr de son destin et on ne voit pas pourquoi il en douterait. Il n'a peur de rien, ni de Sarkozy, ni de la langue de bois, son péché mignon. C'est un chef de bande. Il sait déléguer et partager.

Xavier Bertrand. Il n'est rien de ce qu'on croit : ni mou ni gentil. Un malin. Avec ça, bon élève, travailleur et compétent. Bon camarade, là, ça reste encore à prouver. Avec lui, il faut se méfier de tout. En particulier de son air bonasse ou de son éloquence à l'eau tiède dont il se sert pour endormir et, ensuite, détrousser son monde.

Alain Juppé. Cet homme loyal jusqu'au suicide est un cas d'école. Éminent et respectable, il avait tout pour réussir. Il ne lui a manqué que le succès. Il n'a toujours pas compris. Nous non plus. C'est sans doute ce qui lui donne cette triste figure, même quand il rit. Encore qu'il a eu le talent de se faire une raison. Jusqu'à son retour sur scène au Quai d'Orsay. Mais même s'il l'agace, il fascine Sarkozy, comme il fascinait Chirac ou Mitterrand.

Michèle Alliot-Marie. Chez elle, tout est mécanique. Les gestes, les paroles. C'est une sorte d'automate toussotant et militaire. On a souvent dit qu'elle ne commettait pas d'erreur. C'est normal : elle n'a jamais fait grand-chose. Sauf quelques fautes en forme de passe-droits en Tunisie, qui ont fait d'elle une victime collatérale de la révolution arabe.

François Baroin. Vieil enfant habillé en ministre, il a du talent jusque dans la platitude qu'il affecte pour ne déranger personne. Il y a dans ce « Monsieur Bébé » une angoisse existentielle qu'il soigne encore à la cigarette, mais qui pourrait un jour le porter loin.

Valérie Pécresse. Seule vraie réformatrice du gouvernement déguisée en présidente d'association de parents d'élèves d'une école privée du XVIe arrondissement de Paris, elle a révolutionné, sans effet de manche, la recherche et les universités.

Bruno Le Maire. C'est un de Gaulle de poche qui attend son 18 juin. Si son heure ne vient pas, ce qui est fort possible, il s'en fiche : il sera un petit Chateaubriand, écrira de bons livres et entrera à l'Académie.

Nathalie Kosciusko-Morizet. Nathalie au Pays des merveilles sort, avec sa mise vaporeuse, d'une livre de Lewis Carroll où elle finira peut-être par retourner.

Passons, par politesse, sur le cas de Rachida Dati, ex-garde des Sceaux, une blague qui n'aura finalement fait rire personne.

La seule sarkozyste qui aurait pu prétendre un jour au premier rôle, elle, a été proscrite sans préavis, pour cause d'indépendance d'esprit répétée : Rama Yade. Comme on sait, le président déteste les récidivistes…

Pour l'heure, on ne voit pas monter l'ombre d'une ébauche de génération Sarkozy comme il y eut naguère une génération Mitterrand ou une génération Chirac.

49

L'homme blessé

« On n'imagine pas combien il faut d'esprit pour n'être jamais ridicule. »

CHAMFORT

Qu'a-t-il fait et qu'aura-t-il laissé ? Du vent, du bruit, de la fureur. Pas mal de réformes aussi, pour préparer l'avenir. Avec son incessant tourbillon de fiascos, de coups d'éclat, le sarkozysme restera comme un moment paroxystique de l'histoire de la France. Une parenthèse à l'aube du nouveau siècle.

Ensemble, tout devient possible, si l'on en croit le slogan de la campagne présidentielle de Sarkozy en 2007. Ensemble, oui ; tout seul, non. Quand on veut tout ramener à soi, on n'avance plus. De tous les boulets que le président aura eu à traîner, la crise financière ou l'ankylose structurelle de la France, le moindre n'aura pas été son caractère.

Avec son égocentrisme ostentatoire, il n'était pas vraiment fait pour les temps démocratiques. Ce type de tempérament, obsédé par lui-même, sculptant sa propre gloire du matin au soir, se retrouve à tous les étages de la société. La différence avec Sarkozy, c'est qu'il ne fait rien pour dissimuler ses travers narcissiques. Au contraire,

263

il les étale au grand jour avec une espèce de jouissance provocatrice.

Dans les *Mémoires d'outre-tombe*, Chateaubriand décrit merveilleusement cet archétype psychologique avec son portrait de Napoléon à qui il reproche un penchant « à tout ravaler » et à la « parodie de l'omnipotence de Dieu qui règle le sort du monde et d'une fourmi ». « Il se complaisait, ajoute-t-il, dans l'humiliation de ce qu'il avait abattu ; il calomniait et blessait particulièrement ce qui avait osé lui résister. Son arrogance égalait son bonheur : il croyait apparaître d'autant plus grand qu'il abaissait les autres. Jaloux de ses généraux, il les accusait de ses propres fautes, car pour lui, il ne pouvait jamais avoir failli. Contempteur de tous les mérites, il leur reprochait durement leurs erreurs. » « Quel dommage, gémissait Talleyrand, qu'un si grand homme soit si mal élevé ! »

Ce n'est pas tout. Chez cet archétype psychologique, l'affectation est un trait majeur. Il joue et surjoue. Il est rarement authentique. Il prend volontiers la pose et ne se retrouve lui-même que quand il est un autre. Ce que Chateaubriand observe chez Napoléon, on le constate tout aussi bien chez Sarkozy : « à la fois modèle et copie, personnage réel et acteur représentant ce personnage », il devient « son propre mime ». « Il ne se serait pas cru un héros, précise-t-il, s'il ne se fût affublé du costume du héros. » Le chef de l'État a troqué le tricorne de l'Empereur contre les Ray-Ban à la Tom Cruise et le cheval contre un gros Airbus présidentiel qui en jette à tous ses copains de la bande du Fouquet's, les Bouygues, Arnault, Bolloré et les autres.

À croire que Sarkozy est un adolescent pas fini, qui se prend pour Sarkozy. Un condottiere épris de lui-même et affamé de nouveaux défis qu'un rien agace et qui, pour citer la formule de Chateaubriand à propos de Napoléon, s'irritera de la plus minuscule manifestation d'indépendance : « Un moucheron qui volait sans son ordre était à ses yeux un insecte révolté. » Une volonté de puissance qui prête à sourire…

C'est ce caractère qui gâche tout, embrouille les esprits et empêche de voir le travail accompli. Il y a quelque chose de pathétique à observer ce maniaque de l'apparence pris au piège de sa propre image. Elle a tout parasité, il n'y en a plus que pour elle : peu à peu, il s'est réduit à son personnage de comédie, génial et ridicule, qui met en scène son épopée personnelle.

Il vaut pourtant mieux que son image. Il n'est pas conforme. Il apporte de l'air dans un paysage confit. Il tente d'arracher la France à ses fatigues et à ses traditions séculaires. Décidé à démolir les murailles et les fortifications derrières lesquelles nous nous pelotonnons, il a même su faire preuve de courage. Mais il est trop entier, trop transparent et, contrairement à la plupart de ses prédécesseurs, a du mal à suivre la maxime favorite de Louis XI : « Qui ne sait pas dissimuler, ne sait pas régner » (« *Qui nescit dissimulare, nescit regnare* »).

Dans un entretien pour le quotidien espagnol *El País* avec Juan Luis Cebrián[1], il a bien défini sa philosophie politique. Il se dit de droite : « Ça signifie pour moi l'ordre, le respect des règles, dans le cadre d'un État de droit. » Mais c'est pour ajouter aussitôt après : « Je ne suis pas conservateur parce que je suis contre l'immobilisme, qui fait que les inégalités s'enkystent. Je ne suis pas

---

1. Le 26 avril 2009.

conservateur parce que je déteste la pensée uni-
que et je ne me soucie pas du qu'en-dira-t-on. »

Préambules de précaution pour en venir à cette
profession de foi : « J'admire et je défends le rôle
de la bourgeoisie, des classes moyennes, dans la
construction et le développement du pays, mais
je ne supporte pas le "petit-bourgeois", réaction-
naire, sectaire, moralement mesquin. » À peine
l'avait-il commencée qu'il lui fallait corriger son
ode aux possédants. Tout est dit : il en est, mais
à reculons, de mauvaise grâce. Il y a toujours
quelque chose de dissident en lui.

Même s'il est tout le contraire d'un esprit
binaire, Sarkozy refuse pareillement de se laisser
enfermer sur une question comme l'immigration.
Toujours dans le même entretien avec Cebrián, il
déclare ainsi : « L'identité n'est pas une patholo-
gie. Sans l'identité, il n'y a pas de diversité. Plus
encore : l'identité est la condition de la diversité,
la condition de l'intégration (...). Ce qui tue les
sociétés, c'est la consanguinité. Je suis pour le
métissage, mais il doit y avoir une identité nationale. »

Propos frappés au coin du bon sens, mais qui
ne peuvent corriger l'effet des tombereaux de
déclarations lapidaires ou stigmatisantes qu'il a
déversé sur ce sujet, par pur calcul, au cours des
dernières années. C'est ainsi que Sarkozy est
devenu prisonnier du personnage puéril qui se
fait passer pour lui. C'est ainsi qu'il est devenu
un personnage incompris.

S'il veut rebondir et reconquérir la France, il
faudra bien que Sarkozy rompe avec la marion-
nette dont il tire les ficelles, derrière le rideau. Il
faudra aussi qu'il consente à se poser, maintenant
qu'il a pris toutes ses revanches. Contre ce père
qui, en divorçant, l'a quitté avant de l'oublier, et

qu'il n'arrive toujours pas à aimer. Contre sa jeunesse désargentée dans les beaux quartiers de Neuilly, sous les regards humiliants des enfants de la haute. Contre son frère Guillaume qui l'a toujours méprisé. Contre les aristocrates de la politique qui l'ont toujours toisé, lui, le petit Hongrois bancal. Contre les attaques si basses sur son physique, ses talonnettes, sa jambe un peu plus courte que l'autre. Contre le monde entier, en vérité.

Avant son arrivée à l'Élysée, lors de cet entretien pour *Philosophie Magazine*[1], avec le philosophe Michel Onfray, Nicolas Sarkozy s'était gaussé de la célèbre phrase de Socrate : « Connais-toi toi-même. » À l'en croire, cette connaissance était « impossible » et « même presque absurde ». S'il se refuse à cet exercice, c'est évidemment par crainte de ce qu'il trouverait : cet amas de blessures béantes.

À la suite de cette rencontre, Michel Onfray a écrit dans *Le Nouvel Observateur*[2] un beau texte assassin et prophétique sur celui qu'il décrit comme « un grand fauve blessé » avec cette conclusion non dénuée d'empathie : « J'ai de la compassion – de la "tendresse de pitié", écrirait Albert Cohen – pour un être qui se détourne autant de lui-même, qui déteste son enfance, qui rit du projet de Socrate, qui veut toujours être dans un temps qui n'existe pas et qui, pour ce faire, piétine son présent avec la même ardeur qu'il foule son passé lointain. J'ai de la compassion pour cet individu qui voudrait tellement être aimé et, maladroit, se fait tant détester ; j'ai de la compassion pour cet oiseau blessé qui croit

---

1. Avril 2007.
2. Le 26 avril 2007.

pouvoir panser ses plaies avec les fétiches de la puissance ; j'ai de la compassion pour cet homme qui n'échappera pas à lui-même. »

Aux dernières nouvelles, il n'y échappera pas plus longtemps. Mais, au crépuscule de son mandat, alors que les feux du pouvoir s'éteignent un à un, le président continue toujours d'inspirer, entre une mâle déclaration et un claquement de mâchoire, un vague sentiment de compassion.

50

La montée du soir

« Vieillir ne serait rien si, après, il ne fallait
pas mourir. »

Antoine BRADSOCK

Il n'a pas encore perdu. La France n'en aura
jamais fini avec lui. Même mort, il continuera à
aller de l'avant et à donner des ordres à l'univers.
Cet homme ne se résigne à rien. Surtout pas au
temps, encore moins à l'oubli ou à la tombe.

Il a des atouts pour assurer sa survie – politique
s'entend. Depuis sa prétendue abdication face à
Fillon, on ne peut exclure qu'il soit passé directement de l'état d'adolescent agité à celui de vieil-
lard apaisé. On ne peut l'exclure, même si rien ne
le prouve.

Encore qu'il n'a plus que le mot protection à
la bouche, un mot qui fleure le chiraquisme.
Comme ses prédécesseurs Chirac et Mitterrand
qu'il honnit tant, Sarkozy entend se présenter
désormais en père peinard de la Nation. En « président protecteur », c'est plus électoral. Mais est-il
bien légitime pour cela ?

Observons-le. Il ne s'habille plus en Balkany,
blazer bleu marine, escarpins à boucle ou à
pompons, chemise neuve et clinquante, gros havane
dans la poche intérieure. Il n'est plus secoué par
une multitude de tics qui le transformaient en

pantin mécanique avec des mouvements inopinés du cou, du menton ou de l'épaule : l'étiopathie y a mis bon ordre. Il n'a, enfin, plus grand-chose à voir avec le candidat juvénile que nous a raconté Yasmina Reza avec tant d'acuité dans ses carnets de la campagne de 2007[1].

Certes, Sarkozy est toujours habité par le même sentiment de solitude. Il n'a pas non plus tué l'enfant en lui. Il a toujours la nostalgie de ce moment béni où, à sept ans, il s'endormait dans le lit de sa mère qui, rentrant tard du travail, le prenait dans les bras pour le ramener dans sa chambre. Mais quelque chose a durci ses traits et on le voit moins souvent sourire « comme un gosse frappé d'émerveillement ». L'âge l'a rattrapé. Avec ça, pas mal de désillusions et une certaine accalmie intérieure.

Il y a quelques années, j'avais été frappé par le témoignage d'un des membres les plus éminents de sa garde noire dont je tairai le nom, de crainte de lui nuire. C'était pourtant dit avec amitié et même affection. Écoutons : « Il ne faut jamais se laisser dominer par Nicolas. Sinon, c'est l'horreur, il finira par vous bouffer. Il est un peu comme ces chiens dangereux ou ces grands fauves que le dresseur doit tenir à l'œil et à distance, sous peine d'être becqueté. Il n'y a aucune méchanceté chez lui, juste un instinct de mâle dominant que rien n'arrête jamais. »

Aujourd'hui, c'est clairement Sarkozy qui est dominé. Par l'usure du pouvoir, par la France qui ne l'aime plus, par sa propre majorité qui doute de lui. Demain peut-être par une gauche qui ne le fait déjà plus ricaner, conscient qu'il est de tous

---

1. *L'aube le soir ou la nuit*, Flammarion, 2007.

les talents qui s'y déploient. On voit ainsi s'esquisser un nouveau Sarkozy, non pas modeste, on ne se refait pas, mais en tout cas plus mesuré et moins extraverti.

Ce qui soulevait le cœur et la colère des Français depuis son avènement, c'était son caractère, bien plus que sa politique. Il tente donc de changer le premier en gardant la seconde. Le 15 septembre 2010, il disait aux sénateurs UMP qu'il avait réunis à l'Élysée : « Mes prédécesseurs faisaient quelques réformes pendant deux ans et puis, après, ils s'arrêtaient, ils ne bougeaient plus le petit doigt. Moi, je vous annonce d'ores et déjà que je ferai des réformes jusqu'à la dernière seconde de mon mandat. »

S'il voulait laisser une trace dans l'Histoire, ce serait celle d'un président réformateur. De son point de vue, son bilan n'est pas si nul, loin de là. Il y en a pour tout le monde. Y compris pour les partisans des libertés publiques. La question prioritaire de constitutionnalité (QPC) est ainsi en passe de bousculer tout l'édifice institutionnel du pays, pour le plus grand bénéfice des Français : tout justiciable a désormais le droit de contester la conformité d'une loi aux droits fondamentaux garantis par la Constitution.

Ce n'est pas une réforme, mais une révolution qui permet aux citoyens de saisir le Conseil constitutionnel, nouveau contre-pouvoir, s'ils récusent la constitutionnalité de la loi qui leur est opposée. À condition, bien sûr, qu'elle n'ait pas déjà été déclarée conforme par les Sages, ce qui est rarement le cas : 7 % seulement des lois votées depuis 1958 ont été soumises à leur contrôle.

Bonne nouvelle, notamment, pour les droits de l'homme et la liberté d'expression. Il est étonnant que Nicolas Sarkozy, déplorable publicitaire de lui-même, n'ait pas assuré la promotion de cette mesure. Jean-Louis Debré, le président du Conseil constitutionnel, est formel : « Si Sarkozy n'avait pas été là, engagé à fond dans cette réforme dont on parlait depuis si longtemps, sans résultat, les Français n'auraient jamais pu profiter de ce droit nouveau. »

Tel est Sarkozy : libéral et liberticide, conservateur et réformateur, rigide et inconstant, plein d'air et de lui-même jusqu'à l'absurde. C'est le Hercule de l'égotisme, le Homère de l'éloquence, que rien n'arrête jamais, pas même le ridicule, et qui avance, déconstruit, transforme, innove, invente en se recréant sans cesse. Un prototype surdoué et une attraction considérable dans un vieux pays fatigué dont l'activité principale, ces dernières années, a surtout consisté à regarder passer les trains. Dommage qu'il n'ait pas encore lu Boileau qui, dans *Des jugements*, nous rappelle que « ne songer qu'à soi et au présent » est toujours « source d'erreur en politique ».

Sans ces travers-là, il aurait pu être irrésistible. Dans une autre vie ou lors d'un prochain mandat, il faudra qu'il n'oublie pas de s'en souvenir : sauf exception, la gloire ne vient qu'à ceux qui ne courent pas avec le vent.

Épilogue

Me suis-je trompé ? N'ai-je pas forcé le trait ? Mon portrait n'est-il pas honteusement caricatural ? Chaque fois que je termine un livre politique, j'entends la voix de François Mitterrand susurrer à mon oreille l'un de ses refrains favoris : « Veinards de journalistes, vous pouvez écrire n'importe quoi en toute impunité. Plus vous vous fourvoyez, plus vous pouvez gagner de lecteurs. Nous autres politiques, quand on s'est trompé, la sanction tombe tout de suite, on perd les élections. »

Mitterrand avait raison. J'exerce l'une des rares professions où rien ne tue, ni le ridicule ni l'erreur de jugement. D'où un sentiment lancinant d'imposture. D'autant que notre métier consiste, pour l'essentiel, à expliquer aux autres des choses qu'on ne comprend pas soi-même. Il ne faut simplement pas hésiter à se contredire du tout au tout. Vérité un jour, erreur le lendemain. Il ne s'agit pas là de cynisme, mais d'humilité devant les faits. Ne pas confondre. Dans les médias, les psychorigides ne font jamais de vieux os.

Me revient en tête la question, exactement la même, que me posaient des hommes aussi différents que Jean Daniel, Claude Perdriel ou Robert

Hersant quand je leur proposais de promouvoir un journaliste : « Change-t-il souvent d'avis ? » Pour ma part, c'est un critère que je remplis bien. Si j'ai une ligne, c'est celle du bouchon au fil de l'eau. Je ne me laisse jamais enclouer par des certitudes définitives. Je reste toujours un journaliste aux aguets, ballotté par les flots. Après trois ans et quelque de proscription présidentielle, je ne pouvais qu'accepter l'invitation à déjeuner de Nicolas Sarkozy que m'a transmise Jean-Michel Goudard, le plus intime de ses collaborateurs de l'Élysée.

Je sais pourquoi il veut me voir. Le biographe a toujours une main sur son sujet ; il est craint, plus ou moins. Il vaut mieux le ménager, à tout hasard. Entre deux fâcheries, c'était toujours Mitterrand qui faisait le premier pas et m'invitait à nous réconcilier, à l'Élysée ou ailleurs, avant de demander sur un ton dégagé, au milieu de la conversation : « Tiens, à propos, vous en êtes où, de vos travaux sur moi ? »

Le rendez-vous avec le président est fixé au 14 février 2011, jour de la Saint-Valentin. Bon présage. Je serai la midinette, il sera mon prince, la messe est dite. Ainsi me serai-je épris, mépris, puis repris. Mais avec Nicolas Sarkozy, il faut toujours s'attendre à tout et, dans mon cas par exemple, à un festival de remontrances et d'éructations. J'arrive donc cuirassé au déjeuner et bien décidé à ne pas me laisser marcher sur les pieds.

Quand le chef de l'État entre dans le salon du rez-de-chaussée, je suis frappé par sa métamorphose. Plus rien de juvénile. Au contraire, tout son être exprime désormais une sorte de gravité triste. Ses gestes sont plus lents, sa démarche plus lourde. Les traits de son visage se sont creusés. Ses cheveux grisonnent un peu. Quant à son teint, il est jaune clair avec des reflets gris ou verdâtres, comme celui d'un noyé qui aurait trempé quelques jours dans l'eau de la Seine. Pour les présidents, les années comptent triple ou quadruple. Le pouvoir vieillit à grande vitesse. Pour un peu, Nicolas Sarkozy semblerait translucide, comme François Mitterrand, rongé jusqu'à la moelle par son cancer, quand il m'avait reçu à déjeuner dans la même pièce, à la veille de quitter le pouvoir, en 1995.

J'ai le sentiment que son regard m'évite. Mais il sait désormais contrôler, voire dissimuler sa haine : contrairement aux fois précédentes, le président ne dégage pas de mauvaises ondes. Il a la voix douce et chantante, comme quand il fait la cour. Lorsque je reviens sur notre passé pour assumer tous les crimes ou vilenies qu'il me reproche et défendre le principe de l'indépendance de la presse, son bien le précieux, il me répond qu'il n'intervient jamais. Quelques anges passent, que Goudard chasse avec humour. Jusqu'à ce que la conversation, après avoir trébuché plusieurs fois, s'engage sur les rapports entre les médias et les pouvoirs. « La presse est beaucoup trop agressive et ça ne lui réussit pas, dit-il. Les gens ont besoin d'explications, pas d'engueulades. Tu as vu mon émission de jeudi dernier ? »

Je hoche la tête. Elle s'appelait *Paroles de Français*, mais *Questions pour un champion* eût sans doute été un titre plus approprié. Une émission sur mesure. Du cousu main qui lui a permis de faire des étincelles.

« Elle a fait 9 millions de téléspectateurs, poursuit-il, et à la fin, sur le coup de onze heures du soir, ils étaient encore 7 millions à regarder, alors qu'il n'y avait pas d'effet d'annonce, juste du dialogue et de la pédagogie. »

Toujours cette manie de citer les audiences télévisées, les siennes et celles des autres. À croire qu'il passe sa vie avec les services de Médiamétrie, qui les mesure. Je suis sûr qu'il pourrait me donner le score du film de la veille au soir sur la Une, mais je ne lui demande pas.

« Tu sais, embraye-t-il, je suis resté très proche des Français. Contrairement à Mitterrand ou à Chirac, je ne reste pas enfermé à l'Élysée, protégé par les miens. Je vais au feu, en province, deux fois par semaine. Je les sens donc bien, les Français, et ma conviction est qu'ils n'aiment pas les médias qui déchirent, abaissent et cassent. Ils veulent de la sérénité, du fond, du positif. Du grand. Tu te souviens de Bernard Pivot, à la grande époque d'*Apostrophes*, quand il recevait Julien Green, Albert Cohen, Georges Simenon ou Claude Lévi-Strauss ? Il disait : "Ce soir, mesdames, messieurs, je vais vous faire découvrir un génie." Aujourd'hui, ses successeurs diraient : "Ce soir, mesdames, messieurs, il va y avoir du spectacle, ça va castagner." C'est vrai que c'étaient des génies, ces gens-là. À commencer par Lévi-Strauss qui a débuté *Tristes tropiques*, comme si c'était un récit d'aventures avant d'en faire autre chose, ce chef-d'œuvre qui dit nos difficultés à comprendre les autres. »

Il me semble qu'il fait alors une citation de Lévi-Strauss sur l'identité, mais à voix si basse qu'elle m'échappe. Je rêvassais. Pour ne pas être en reste et faire le malin, moi aussi, je cherche dans ma mémoire ma phrase préférée de *Tristes tropiques*, celle que mon père aimait répéter. Deux ou trois verres de Crozes Hermitage 1998 ont rendu plus tortueux encore mon esprit d'escalier qui tourne, tourne, sans jamais arriver aux bons neurones. Je ne la retrouverai que le soir, en rentrant à la maison : « Le monde a commencé sans l'homme et s'achèvera sans lui. » Il faudrait la faire inscrire aux frontons des écoles.

Le président a donc ouvert le score : 1/0. Pour reprendre l'avantage, je décide de l'emmener sur la littérature, en posant une question ouverte de lèche-bottes médiatique :

« Il paraît que tu lis beaucoup, ces temps-ci ?

— J'ai toujours lu énormément, mais je ne m'en suis jamais vanté. J'ai des goûts très éclectiques, tu sais. Tiens, par exemple, j'ai bien aimé *Hammerstein ou l'intransigeance* de Hans Magnus Enzensberger, ou *HHhH* de Laurent Binet, encore que j'aie des réserves sur ses digressions amoureuses, et j'ai adoré *Même le silence a une fin* d'Ingrid Betancourt : ce n'est pas un témoignage, c'est juste de la littérature, avec la jungle comme personnage principal. Magnifique. Je lis aussi beaucoup de classiques. L'autre jour, une jeune femme m'a dit : "Moi, je ne lis jamais les classiques." Je la plains. Elle ne sait pas ce qu'elle perd, la pauvre. Je viens de me replonger dans Corneille et Racine. Tu en sors subjugué. Il a dû en baver, Corneille, la vieille gloire à son couchant, quand il a vu arriver Racine, le talent fait homme. En ce moment, je suis obsessionnel, je lis tout, tout, tout. C'est ainsi que j'ai lu ou relu trente et un des trente-cinq livres de la bibliothèque du *Figaro*, présentée par Jean d'Ormesson. Maintenant, figure-toi que je vais me mettre à Jules Verne en commençant par *Michel Strogoff*. »

Là, il y a un silence que je comble par une nouvelle question de Rantanplan télévisuel :

« Tu as bien des livres préférés que tu mets au-dessus de tout ?

— Rien d'original. Hugo, Dumas, Stendhal, comme tout le monde. Il y a aussi Maupassant qui n'a toujours pas pris une ride. Mon fils Louis est, comme tous les enfants de son âge, obsédé par *Star Wars*. Je lui ai donné à lire les contes de Maupassant. Eh bien, miracle, il a tout de suite été conquis. J'ai un faible pour *La Petite Roque*, *Le Père Amable* ou *La Maison Tellier* avec cette image époustouflante dont tu te souviens sûrement : quand les prostituées sont dans l'église, il plane subitement sur la tête des fidèles "le souffle prodigieux d'un être invisible et tout-puissant", tandis que les enfants grelottent d'une "fièvre divine". Quelle formule, hein, cette "fièvre divine" ! Je me damnerais pour ça ! Il y a encore Steinbeck que j'ai découvert il y a une dizaine d'années seulement avec *Des souris et des hommes* et puis, après, avec *Tortilla Flat* ou *Les Raisins de la colère*. »

Le président ne m'aura pas comme ça. Steinbeck, je connais par cœur. C'est même un de mes écrivains préférés, que je relis régulièrement. Il ne sait pas à qui il a affaire.

« J'ai toujours été fasciné, dis-je, sur le ton de l'expert littéraire, par la tortue qui, dans les premières pages des *Raisins*, a tellement de mal à traverser la route avant d'être récupérée par le personnage principal, Jed.

— Non, Joad. »

Le score s'élève maintenant à 2/0 pour le président. Il récupère un troisième point en évoquant, dans la foulée, les scénarios de John Steinbeck et notamment celui de *Viva Zapata !* d'Elia Kazan avec Marlon Brando et Anthony Quinn. Là, je dois avouer mon incompétence, il me laisse sur place.

« Ah, continue-t-il, il y a évidemment Camus dont *L'Étranger* me touche tant. Déjà, dès les premières lignes, on est pris aux tripes : "Aujourd'hui, maman est morte. Ou bien hier, je ne sais pas. J'ai reçu un télégramme de l'asile : 'Mère décédée. Enterrement demain. Sentiments distingués.'" Tout est dit. Il est tellement décalé, indifférent et emmuré, le pauvre Meursault. À propos de Camus, sais-tu que j'ai été à Tipasa ? Pour voir. Pendant mon voyage officiel en Algérie, j'ai fait un détour là-bas. Aux journalistes qui me demandaient pourquoi j'y allais, j'ai répondu : "Si vous n'avez pas compris, c'est votre problème." Quel beau texte, *Noces à Tipasa* ! Camus y parle comme personne de l'orgueil de vivre, du devoir de bonheur et du métier d'homme. »

Je connais bien *Noces à Tipasa*, ode panthéiste et gionesque qui célèbre le ciel, la terre et la mer, « vivante et savoureuse », mais je me sens incapable de rebondir. Le score s'établit donc maintenant à 4/0 et le verre de rouge que je bois cul sec ne suffit pas à réveiller mon cerveau. Mieux vaut lâcher l'affaire, je décide de ne plus compter les points. Le président est déjà reparti ailleurs :

« Oh, il y a forcément Proust qu'on ne lit bien qu'une fois qu'on a un peu vécu, ou bien Borges : même si je ne comprends pas tout, je pressens qu'il dit des choses importantes. J'apprécierai plus tard. Il y a un temps pour tout. Dans un autre genre, il y a encore Georges Simenon, personnage détestable mais superbe entomologiste de l'espèce humaine. Quand je lis un grand livre, je me fiche pas mal de l'auteur. L'œuvre littéraire est une personne aboutie qui vit sa propre vie. D'une certaine manière, c'est le lecteur qui écrit le livre et en devient copropriétaire.

— Tout lecteur est donc un écrivain !

— Oui. Tu connais *Les Mots* de Sartre avec sa construction en deux parties. La première intitulée "Lire". La seconde, "Écrire". Il a tout résumé : les deux choses sont indissolublement liées. C'est pourquoi j'ai tant de mal à comprendre les polémiques comme celle qui revient à intervalle régulier à propos de Céline... »

Arrêtons-nous instant. Je suis sûr que vous ne croyez pas ce que vous êtes en train de lire. Rassurez-vous : moi non plus, je ne crois pas, sur le moment, un mot de ce que j'entends. J'ai pourtant bien entendu mais je ne suis pas né de la dernière pluie. Pourquoi aurait-il pris tant de soin, pendant si longtemps, à passer pour un crétin vulgaire, d'une inculture crasse ? Ce n'est pas l'homme que je croyais connaître. Celui qui a tenu des propos détestables sur *La Princesse de Clèves*. Celui qui a emmené son ami le comique Jean-Marie Bigard, incarnation de l'humour à tête de bœuf, rendre visite avec lui au pape Benoît XVI. Des provocations de potache, dira-t-on. Soit. Mais il y a quelque chose qui cloche. Un truc, un loup, une ficelle. Depuis le temps, je suis un vieux singe. On ne m'aura pas avec des grimaces.

Il est néanmoins à son affaire. Sur Céline, il est, comme prévu, imbattable et intarissable :

« C'est une œuvre que chacun peut s'approprier comme il l'entend. Mais si l'on veut comprendre le personnage, il faut lire son premier livre, *Semmelweis*. C'est sa thèse de médecine sur un Hongrois de premier plan qui, au XIXe siècle, a fait une énorme découverte en observant qu'à l'Hospice général de Vienne où il travaille, la mortalité infantile est beaucoup plus élevée quand ce sont les étudiants en médecine, au lieu des sages-femmes, qui réalisent l'accouchement. La raison ?

Ils viennent de disséquer des cadavres à la faculté et, ensuite, ont négligé de se laver les mains qui, dit-il, sont infectantes. L'antisepsie est née, mais on ne veut pas l'entendre, notre génie est désespéré, puis révoqué, enfin chassé d'Autriche. Revenu au pays, il insulte ses collègues obstétriciens, voit des ennemis partout, accumule les crises de démence avant de mourir, à quarante-sept ans, dans un asile d'aliénés. On retrouve la même dimension tragique dans le destin de Céline, une obsession des microbes qui se transformera, hélas, en délire contre les Juifs. Mais bon, tout ça n'enlève rien à la beauté de *Voyage au bout de la nuit* où il y a tant de phrases incroyables dont celle-ci : "L'amour, c'est l'infini mis à la portée des caniches." Elle dit si bien le sublime et le ridicule de l'amour. »

Suivent, en rafales, plusieurs citations du *Voyage* dont il semble connaître les cinq cents pages par cœur. En vieux journaleux, professionnel de l'incrédulité, je n'en reviens pas. Certes, j'avais lu dans les gazettes que Carla lui faisait rattraper son retard en matière de cinéma où il excelle à présent, mais jamais je n'aurais imaginé qu'il aurait pu se livrer à un tel numéro de haute voltige littéraire, sautant de « Papa » Hemingway à Barbey d'Aurevilly en passant par un roman qui vient de sortir : *L'Homme de Lyon* de François-Guillaume Lorrain. Il assure. Y compris quand la conversation roule sur des auteurs de mon choix, comme Prosper Mérimée, ou que je laisse une phrase en suspens, pour qu'il la termine. Il se sent même assez sûr pour reconnaître ses insuffisances. Quand j'évoque Tolstoï et Dostoïevski, il me coupe :

« La littérature russe, je ne connais pratiquement pas. »

Depuis un quart de siècle que je le fréquente, Nicolas Sarkozy ne m'a jamais laissé entrevoir cet aspect-là de son univers personnel. S'il avait juste potassé quelques fiches dans les jours qui précèdent, je l'aurais démasqué. Si sa science est récente, ce que je subodore, il a déjà beaucoup lu. Mais bon, contrairement à la légende que j'ai contribué à entretenir, il est tout sauf inculte : quitte à passer définitivement pour un gogo ou un couillon, je dois à la vérité de le reconnaître.

« Quand je lis un livre, dit-il, je passe mes passages préférés au Stabylo Boss. C'est peut-être pour ça que je les retiens mieux. »

Son hypermnésie ne peut pas tout expliquer. Son caractère compulsif non plus. Je me sens bête et déboussolé. N'est-il pas en train de se servir de moi, ce bourriquet qu'il déteste, pour faire passer un message ? Lui qui aime tant la ramener, pourquoi n'a-t-il jamais auparavant étalé à ce point sa culture devant moi ? S'agit-il d'un complexe ou de la même volonté de dissimulation qu'un Chirac qui pensait que « la culture, ça ne faisait pas peuple » ? Quelque chose m'a échappé. Je me demande si je ne devrais pas réécrire plusieurs pages de mon livre.

Telle est la grande misère du biographe. Il écrit sur de la matière vivante, en devenir permanent. Quand elle est morte, il n'est pas plus avancé : la peau et les os n'ont jamais rien à raconter.

Un jour que je lui apportais la dernière de mes innombrables biographies de Mitterrand, mon vieil ami Julien Green avait souri avant de laisser tomber : « Ce qui me fait vraiment peur dans la mort, c'est l'idée d'être livré aux biographes. » Je le comprends. Nous les biographes sommes des vers qui mangent tout, mort ou vif. Les parasites de la postérité.

Une fois notre dévoration accomplie et nos matières conchiées à la figure du monde, il nous arrive d'être rongés à notre tour, mais par des doutes. De temps en temps, à force de fouiller dans ses tripes, on tombe sur la vérité d'un homme. Souvent aussi, on passe à côté. Ce qui explique le malaise indéfinissable qui m'envahit à la publication de chacune de mes biographies politiques : je crains de m'être laissé embobiner ou aveugler par mes passions, c'est selon.

Le président regarde sa montre. Je vérifie l'heure : 15 h 15. Le déjeuner touche à sa fin. Après que je lui eus demandé quand il trouve le temps de lire, il répond, comme les vrais lecteurs :

« Tout le temps, n'importe quand, mais surtout en voyage. Quand je pars avec Carla, j'ai toujours un sac plein de livres et de DVD.

— Et que cherches-tu dans la lecture ?

— Quand j'ai lu un bon livre, je me sens mieux et différent. Lire m'apaise, évacue mon stress et m'apporte la sérénité. »

Si Nicolas Sarkozy ne semble pas particulièrement serein, à cet instant, le personnage qui l'habite fait président. Il est peut-être trop tard pour lui, mais « N. le maudit » n'a plus vraiment l'air d'un accident de l'Histoire.

« Les circonstances sont bien peu de chose, le caractère est tout – écrivait Benjamin Constant à la fin d'*Adolphe* – : c'est en vain qu'on brise avec les objets et les êtres extérieurs, on ne saurait briser avec soi-même. On change de situation, mais on transporte dans chacune le tourment dont on espérait se délivrer, et comme on ne se corrige pas en se déplaçant, l'on se trouve seulement avoir ajouté des remords aux regrets et des fautes aux souffrances. »

Benjamin Constant a raison. Il n'empêche que toujours l'âge vient. Parfois, il faut cinquante ans pour faire un homme. Parfois, soixante. Nicolas Sarkozy n'est plus tout à fait le même. Il a peut-être enfin commencé à se trouver.

Il est fait ; il est fini.

Table des matières

9840

Composition
PCA à Rezé

Achevé d'imprimer en Espagne
par BLACK PRINT CPI
le 5 décembre 2011.
Dépôt légal décembre 2011.
EAN 9782290040669

ÉDITIONS J'AI LU
87, quai Panhard-et-Levassor, 75013 Paris

Diffusion France et étranger : Flammarion